Vivir desde el Ser

Herramientas para vivir en un nuevo mundo

Guiomar Ramírez-Montesinos Krogulska

Copyright 2016 © Guiomar Ramírez-Montesinos Krogulska.
Edición de la autora, 2016
1ª edición.
ISBN: 978-84-617-5734-3
Impresión: Estugraf, Madrid. España / *Printed in Madrid, Spain.*
Portada: Guiomar Ramírez-Montesinos Krogulska.

www.vivirdesdeelser.com

www.facebook.com/vivirdesdeelser

Dedicatoria

A Carlos, por tener su Júpiter sobre mi Nodo Norte, y su Nodo Norte en mi casa XII, e inspirarme desde el Ser. A Celia, Sagra y Lyz, por creer en mí. A Isabel por su ayuda y por compartir la aventura del crecimiento. A todos los Conciencitos, por ayudarme a compartir y enriquecer este proyecto. A mi madre. A Manolo y Elena por su hospitalidad en Torla-Ordesa, donde he escrito este libro, al Mondarruego y al Montgó.

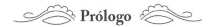 **Prólogo**

Toda vida es significativa. Toda persona tiene una misión de vida. Hay quien viene a hacer grandes cosas, hay quien viene a aportar algo original, hay quien viene a realizar trabajos sencillos o más modestos, otros vienen a consolidar o crear relaciones de familia, e incluso hay quien tiene por misión aprender a ser ellos mismos, individualizarse, desarrollarse como humano. Todos venimos a servir a los demás.

Hagas lo que hagas. Despliegues todo tu potencial o te quedes a medias, todos tus logros, por pequeños que sean, son una contribución al mundo. Cada vez que conseguimos cumplir un objetivo que nos hemos propuesto, y gracias a la sensación de satisfacción de haberlo conseguido, subimos a la consciencia colectiva un paquete de información que estará disponible para la siguiente persona que lo requiera.

La Humanidad ha iniciado una nueva Era. Hemos finalizado más de cinco mil años de patriarcado y organización social jerárquica, y estamos en los albores de la **Era del Ser.** Todas aquellas personas realizando ahora su trabajo de desarrollo personal para conocerse a sí mismos han venido a contribuir precisamente con el resultado de su crecimiento personal y espiritual, ya sea contribuyendo o ayudando activamente o predicando con el ejemplo.

Vivir desde el Ser es el fruto de mi desarrollo personal, es mi proyecto de Vida. No es LA VERDAD, sino sólo mi versión de los hechos, mi punto de vista personal, resultado de mi experiencia. No es mi intención intentar convencer de nada, sino sólo compartir desde el corazón el conocimiento que he destilado de mi experiencia.

Cuando leas este libro, quizá haya algo que te inspire y que te sirva. Luego seguramente tú irás sumando experiencias, previas y posteriores, para finalmente destilar tu propia verdad y ofrecerla al mundo. De esto se trata.

Todos tenemos algo valioso y único que ofrecer al mundo, y lo hacemos pasando la realidad por el filtro que es nuestra experiencia. Lo importante no es cuán impactante sea el mensaje que se ofrece, ni si es esa la Verdad suprema o no, ni siquiera si es preciso o está bien explicado. Lo importante es que a alguien le sirva, le sea útil lo que ofreces para dar un paso más en su desarrollo -¡aunque sea un paso hacia atrás!-.

Lo dicho, no pretendo tener razón, ni sentar dogmas. Al igual que tampoco pretendo ser fiel a ningún sistema de creencias o filosofía, aunque son muchos los que me han inspirado de una manera u otra. Es más, tampoco soy muy rigurosa con mi vocabulario, más allá de usar las palabras con un poco de coherencia con el fin de comunicar y expresar lo que siento y mis ideas.

Nada de esto importa. Mi único objetivo es compartir mi visión de las cosas y que el lector pueda contemplar la realidad, y su realidad, desde una perspectiva diferente, más amplia y más sencilla. En otras palabras, abrir su mente.

La **Era del Ser** se inicia a partir de un mundo globalizado, un **Mundo en Red.** Durante los siguientes cinco mil y pico años la Humanidad aprenderá a Vivir y Relacionarse desde el Ser. Esto supone un salto de consciencia y, por tanto, de perspectiva.

Vivir centrado desde el Ser es reconocer que la realidad es multidimensional, que la consciencia es información, que ésta determina a la energía, que a su vez se manifiesta en la materia de manera dual. La realidad es sutil, mientras que la manifestación en la materia no es más que el síntoma.

Nos hemos identificado tanto con la materia, que nos hemos escindido de la realidad, hasta tal punto que muchos hablan de "búsqueda" en su "camino espiritual"… Y hay que estar muy perdido para intentar encontrar algo que ya eres. Y es que,

> "No somos seres humanos en una búsqueda espiritual, sino Seres espirituales viviendo una experiencia humana".

Nota: *el presente libro está pensado para poder ser utilizado como un manual. En el último capítulo propongo ejercicios prácticos relativos a los diferentes puntos tratados, con la referencia a la página en la que se desarrolla la información correspondiente. A lo largo de los capítulos, también hay referencias a los temas relacionados entre sí para facilitar la consulta.*

Vivir desde el Ser

Un Mundo en Red

Vivimos tiempos convulsos, o eso creemos. El siglo XXI ha empezado con burbujas inmobiliarias, amenazas terroristas con excusas religiosas, derrocamientos de gobiernos, crisis financieras, corrupción política, radicalización religiosa, y una aparente pérdida de valores morales y sociales. Desde el 2008 (cuando Plutón, el gran transformador, entró en Capricornio, símbolo de las estructuras) se han empezado a tambalear los cimientos de nuestra sociedad. A la Primavera Árabe le sucede el desencanto político que está llevando al surgir de formaciones ciudadanas que amenazan con tumbar a los partidos establecidos, y la crisis griega amenaza la estabilidad del Euro y hasta de la misma Unión Europea. Mientras, el rápido surgir de China hace vaticinar que el gigante asiático también sufrirá las consecuencias de la especulación financiera, a la vez que Estados Unidos pierde fuerza y el hemisferio Sur crece.

A nivel más personal, las crisis matrimoniales no hacen más que aumentar, a la ya endémica precariedad laboral se suma la insatisfacción por trabajar en algo que no te llena, y el desencanto con la Educación es algo casi generalizado, independientemente de a quién se le eche la culpa de ello.

Ya lo advertían Nostradamus y los Mayas que en diciembre del 2012 el mundo "tal y como lo conocíamos" se iba a acabar. Y desde mi punto de vista, algo de razón tenían. Aunque es evidente que todo no se ha acabado y puede incluso parecer que sigan las cosas bastante igual, algo ha sucedido. Si bien no ha habido ningún evento drástico a nivel mundial que nos haya marcado violentamente a toda la Humanidad, sin embargo, 2012 sí ha supuesto un punto de inflexión, ha marcado un antes y un después en nuestra organización social. Se ha atravesado un punto de masa crítica, y ya no hay vuelta atrás.

Por poner una analogía, se puede decir que la Humanidad ha sufrido un cambio de estado, un aumento en la entropía de la organización social. Imagina un cazo con agua sobre el fuego. Poco a poco el calor va aumentando el baile de las moléculas de agua hasta que la superficie se rompe en burbujas, y el elemento líquido comienza a transformarse en vapor. Bien, pues estos años de crisis mundial son como el agua que en pleno proceso de transformación a otro estado aparenta caos en su superficie. Durante un tiempo coexiste el vapor, el bullicio y el agua, e incluso algunas gotas sin paciencia para vivir el cambio salen despedidas fuera del recipiente para afrontar su fatal destino en soledad.

Así que, actualizando lo que decía Bruce Lee en una famosa entrevista, "be gas, my friend". Sé gas. Vive la transformación. La Humanidad está en medio de un cambio de Era. Es un momento histórico excitante que sucede cada 5 milenios y somos los protagonistas. Y si estás leyendo este libro seguramente eres una persona que está trabajando sobre su desarrollo personal, y por tanto, parte de la punta de lanza de este nuevo movimiento social. Ten muy claro que el trabajo que hagas contigo mismo tendrá su repercusión sobre los demás. Aunque lo hagas de manera discreta, aunque te encierres en una cueva, da igual, estás ayudando a la Humanidad a evolucionar hacia un mundo mejor, un **Mundo en Red**.

Del nomadismo a la agricultura

Tengo una teoría, una visión, una manera de explicar este cambio de Era. No sé si es verdad o no, o si simplemente me lo he inventado. Pero eso no es lo importante. La clave es si para ti, lector, tiene sentido. Si te sirve para ver tu realidad desde otro punto de vista, si te permite así liberarte de tus creencias limitantes, aquellas que te fijan a la realidad material y por tanto mantienen tu escisión. Si es así, entonces es válida.

Así que vamos allá. Empezamos ahora un viaje por los últimos diez mil años de historia de la Humanidad. Durante cientos de miles de años el humano era una especie nómada, cazadora-recolectora, que migraba en función de la disponibilidad de alimentos, al igual que lo siguen haciendo otras especies gregarias, como los ñus o las cebras. El empleo del fuego, la utilización de cuevas como refugio, el desarrollo de herramientas, la expresión a través de pinturas, el aprovechamiento de los recursos para crear nuevos objetos, el uso de la voz para la comunicación, fueron grandes logros, pero no es hasta la revolución neolítica, hace algo más de ocho mil años, que podemos realmente hablar de las primeras sociedades humanas y por tanto de la Humanidad como tal.

El gran acontecimiento que marca esta nueva etapa es la agricultura, lo que permite dejar atrás el estilo de vida nómada, iniciando una explosión demográfica en todo el mundo como nunca antes se había visto. Cultivar la tierra, descubrir que sembrar a la larga produce alimentos y que esto te permite asentarte en un lugar, sin necesidad de migrar en búsqueda de comida, permitió a los grupos humanos reunirse en comunidades definidas y desarrollarse como nunca antes se había visto. Y esto es gracias al empuje de la mujer. Luego veremos que no es casualidad.

El neolítico marca el inicio de la civilización, de la organización social humana. Nos reunimos en torno al fuego en pequeñas comunidades tribales, de varias familias, que adoptaban una disposición circular en su forma de organizarse. Se trata de una organización social bidimensional y la figura que la representa y que, por tanto, cristaliza la consciencia colectiva, es el círculo. Durante esta Era se inventa, o mejor dicho, se cristaliza, la rueda, y se crean monumentos ceremoniales por todo el mundo con esta figura de dos dimensiones, siendo el más conocido el de Stonehenge (que en un principio apenas se alzaba por encima del nivel del suelo, y sólo en la siguiente Era fueron añadidos los monolitos que le confieren la forma que hoy conocemos).

Como luego iremos viendo a través de las siguientes Eras, la figura que define la organización social, que durante el neolítico fue el círculo, forma parte de la consciencia colectiva, es un aspecto esencial de la manera de ver las cosas de la Humanidad, es el marco de referencia, es lo que la mente colectiva proyecta. Así pues, cuando se inventa la rueda, no es fruto de la imaginación fortuita de un individuo, sino una manifestación de un orden inherente, una expresión de la consciencia colectiva, una cristalización en la materia de ésta.

La sociedad neolítica se organiza alrededor del fuego. Las personas se reúnen en torno al calor y la lumbre para cocinar, para protegerse de insectos y animales, y para compartir. Se desarrolla un sentido de pertenencia a la tribu, al clan, gracias a estos contactos. Es una sociedad igualitaria en la que la mujer es tan valiosa como el hombre, y los niños como los ancianos. Se trata de un Era regida por la energía femenina.

La energía femenina

Hay dos energías básicas, la femenina y la masculina. Ambas son necesarias, imprescindibles, porque son elementales y polares. Existen en un eterno equilibrio que va mucho más allá de los seres humanos y de la Tierra, y es parte de la expresión del Universo.

La femenina es la **energía del amor** y su expresión se puede definir o resumir como *unir, crear y sentir*. Estos atributos son los que determinan cada Era regida por ella. La sociedad neolítica se inició gracias al empuje de la mujer porque se iniciaba un periodo de energía femenina. Durante esta época los lazos entre las personas se afianzaron, los individuos de un mismo clan *se unieron* más que nunca antes. El sedentarismo facilitó la sensibilidad, por un lado, porque disminuyó el miedo al peligro de depredadores y, por otro, porque hubo más individuos que no necesitaron desarrollar una musculatura fuerte.

Como se puede observar en mujeres, niños y ancianos, la flacidez permite ser más perceptivo a las emociones de los demás. Las neuronas espejo son la base de nuestra empatía. Gracias a ellas nuestro cerebro replica lo que ve en otros, ya sea una acción o un sentimiento, hasta el punto de que no distingue si son propios o no. Pero para sentir una emoción, necesitamos que nuestro cuerpo actúe como una caja de resonancia. Si la musculatura es muy fuerte, no vibrará como cuando es más débil. Y, por tanto, aunque las neuronas espejo repliquen lo que se observa, no dejará impresión en el cuerpo, por lo que será más difícil *sentir* la emoción.

En cuanto a *crear*, el neolítico fue una época creativa, no sólo por las innovaciones técnicas y culturales, sino por el aumento de la natalidad que llevó a la explosión demográfica. ¡Se crearon muchos hijos!

LA ERA DE LA COMUNIDAD

Cada Era de la Humanidad sirve además para desarrollar un área de la consciencia colectiva, y determinar así el aprendizaje fundamental de ese período para todos los seres humanos. Podemos hablar de tres áreas de la consciencia, el Sentir, el Pensar y la Voluntad. Y en el caso del neolítico, el desarrollo se produjo en el Sentir.

El asentamiento en poblados, la proliferación de las tribus, la consciencia de clan aportó un sentimiento de pertenencia a un grupo social definido que se convirtió, al final de esa Era, en atributo o rasgo común de toda la Humanidad. Para cuando terminó el Neolítico, todos los seres humanos habían interiorizado el sentido de *pertenencia*. Fue la **Era de la Comunidad**.

ERA DE LA COMUNIDAD

Organización bidimensional, en círculo

Se cristalizan lugares ceremoniales circulares y la rueda
Energía femenina

Aprendemos a pertenecer

8000 a.c. a 3000 a.c.

LA ERA DEL COMERCIO

La **Era de la Comunidad** duró algo más de cinco mil años, y desde mi punto de vista, coincide con la cuarta cuenta larga del calendario Maya. Según el conocimiento astronómico de esta cultura mesoamericana, que llegó a estudiar grandes ciclos de la Humanidad, vaticinando el fin del mundo "tal y como lo conocemos" para el 21 de diciembre 2012, la quinta cuenta larga comenzó el 13 de agosto del 3014 a.c.

Por aquel entonces, las comunidades tribales eran ya una manera habitual de vivir, aunque tratándose de una Era femenina, la organización social se adaptaba mejor a las mujeres y su expresión. Nosotras necesitamos comunicar para desarrollarnos personalmente, pero ellos necesitan sentirse libres. A la larga se fue generando un desequilibrio entre las energías masculina y femenina. El "exceso" de conexión entre mujeres, alimentó la necesidad del impulso de los hombres por moverse, por ir más allá de su territorio conocido, por buscar su expresión en libertad. Esto llevó al trueque.

Así pues, gracias al impulso del hombre, que se aventuró más allá de sus fronteras hace ahora algo más de 5 mil años, buscando intercambiar productos, paulatinamente, la organización social se fue haciendo más compleja, adaptando una tercera dimensión. Empezamos a crear las primeras ciudades y surgió el patriarcado, y con él las jerarquías.

Este periodo, que ha durado hasta finales del 2012, coincide con nuestra Historia escrita, por lo que realmente supone la única referencia que tenemos. Nuestra interpretación del mundo y de la Historia se hace desde el punto de vista del patriarcado. Como quien sólo sabe hablar un idioma, cuando aprende otro, lo hace sobre la base del que conoce, del que forma la estructura de sus esquemas mentales, no somos conscientes del patrón en el que estamos inmersos y desde el cual interpretamos la realidad. Damos tan por supuesto de que el mundo es jerárquico que cuando se hace referencia al Neolítico, lo habitual es que se hable de matriarcado, como si las mujeres estuviesen en la cima de la pirámide. Y, sin embargo, en aquella época esas desigualdades no existían, aunque cada uno desempeñase su rol.

Volvamos al inicio de la **Era del Comercio**. El intercambio de productos, junto a la explosión demográfica (el exceso de energía femenina llevó a la "creación" de más bocas que alimentar), llevó a la necesidad de acotar los recursos, de ponerle límites al campo y a los ríos, de proteger los alimentos cosechados lejos de manos ajenas y de las inclemencias del invierno. Se levantaron murallas, separando y poniendo lindes entre lo de dentro y lo de fuera. Se construyeron torres y palacios, más elevados que las casas de las personas comunes.

La organización social tridimensional es jerárquica, y el hombre empezó a cristalizar pirámides o edificios que marcaban con claridad las diferencias sociales que empezaban a surgir. Stonehenge vio cómo se le añadía altura a lo que antes fue un montículo circular, y la máxima expresión de la cristalización de esta estructura social son por supuesto las pirámides que surgieron por todo el mundo: Egipto, China, México, etc.

La energía masculina

La **Era del Comercio** está caracterizada por la energía masculina, que se expresa en tres cualidades: *dividir, actuar y pensar*. Fue iniciada por el empuje del hombre con el trueque. Ha caracterizado estos últimos cinco mil años la *división* de mente y cuerpo, o mente y emociones, la división en estratos sociales, entre hombres y mujeres. Esta división nos ha permitido desarrollar el *pensamiento* y la comunicación, y en la *acción* hemos transformado el mundo, hemos librado miles de batallas y hasta hemos conquistado la Luna.

La masculina es también la **energía del miedo**, ya que éste surge de la percepción de separación. Y es durante esta Era que nuestros miedos sociales, los **Miedos del Ego** aparecen. En el neolítico aprendimos a desarrollar un sentido de pertenencia, a integrarnos en un clan o tribu. Pero no existe aún consciencia individual. En la **Era del Comercio** nos damos cuenta de nuestra diferencia con respecto al otro, y el trauma de sentirnos separados marca una profunda huella en la consciencia colectiva e individual.

Una Era regida por la energía masculina puede ser traumática, dolorosa, pero resulta necesaria para un mayor desarrollo. Cambiamos el mundo, aprendimos a reconocer nuestras diferencias, aunque sea de manera drástica, nos reconocimos como individuos y luego nos reconciliamos tendiendo de nuevo puentes desde nuestras realidades separadas. Aprendimos a intercambiar ideas, culturas, productos. Llegamos hasta el punto en el que ese intercambio lo realizamos a una escala global. La Humanidad entera ha aprendido a *intercambiar* ideas y productos.

El aprendizaje de la consciencia colectiva se ha realizado en el nivel del pensar, y la lección integrada es "Intercambiamos". La **Era del Comercio** ha terminado con la asimilación por parte de todas las personas de la posibilidad de intercambiar cosas, tangibles o no, con el resto del planeta.

ERA DEL COMERCIO

Organización tridimensional, jerárquica

Se cristalizan pirámides

Energía masculina

Aprendemos a intercambiar

3.000 a.c. a 2012

Las relaciones jerárquicas

Las relaciones en la **Era del Comercio**, ya sea en una ciudad, en un negocio o en una familia, son jerárquicas. Hay uno que manda, decide o domina, mientras que el resto le siguen o le obedecen. La comunicación es vertical y descendente. Las necesidades o deseos individuales, que no sean de aquel que está en la cima de la pirámide, no son tenidas en cuenta. Prima el pensamiento único. Se espera la obediencia de todos los miembros, so pena de expulsión o muerte. Nadie ha de destacar. Se trata de un sistema altamente dependiente. El de arriba depende de la fidelidad de los de abajo para mantenerse, por lo que recurre a estrategias de control e incomunicación horizontal ("divide y vencerás"), y acapara la mayor parte de los recursos disponibles para distribuir lo justo con el fin de mantener lo suficientemente contentos a los de abajo, a cambio de su fidelidad. Para que esta estrategia tenga éxito, es imprescindible "tener un enemigo ahí fuera", así como remarcar la precariedad de la vida, haciendo énfasis continuo en la necesidad de tener seguridad, alimento y techo −si os suena esto a mensajes políticos y publicitarios, es que vais bien encaminados-. Es decir, mantener el foco en los peldaños inferiores de la pirámide de las necesidades, como la ideó Maslow, asegura la dependencia y por tanto la cohesión y la estabilidad de la jerarquía.

LA ERA DEL SER

Pero hace aproximadamente un siglo, la polarización de la energía masculina que se vivió en la época victoriana, y posteriormente en las guerras mundiales, llevó necesariamente a un resurgir del impulso femenino en la forma de las sufragistas que empezaron a demandar su derecho a voto. Así es como, gracias una vez más al empuje de la mujer, impulso que fue continuado con el empoderamiento de la fuerza laboral femenina tras la Segunda Guerra Mundial primero, luego con la invención de la píldora anticonceptiva y seguido por la generalización del divorcio, el sistema de organización social jerárquica comienza a desmoronarse, empezando por las pirámides más básicas: las familias.

En un mundo globalizado, las ciudades ya no están divididas, ni cercadas por murallas, las fronteras se disuelven y la organización social adquiere una dimensión más. La estructura tetradimensional que la consciencia humana ha empezado a cristalizar es la red. Además de internet, se han creado redes de transporte de mercancías, redes de gas y electricidad, etc. Todas las relaciones ahora dejan de ser jerárquicas y comienzan a ser en red.

La red cuenta con tres dimensiones físicas y con una cuarta virtual, que es el tiempo. Así, en un primer momento, se produce una virtualización parcial de la realidad. Los intercambios proliferan a este nivel, en detrimento de las otras tres dimensiones, hasta tal punto de que mucha de la realidad que vivimos ahora es virtual, y esto a su vez nos ayuda a liberarnos de la imposición del mundo físico, de la rigidez de las tres dimensiones y de nuestras estructuras mentales basadas en el miedo.

Internet canalizó gran parte de las fluctuaciones económicas, emocionales y energéticas de la crisis financiera mundial vivida en los albores del siglo XXI. Esto permitió mantener una relativa estabilidad en el mundo tridimensional, mientras que la angustia y el caos se vivió sobre todo a nivel virtual y emocional. Es más, desde mi punto de vista, y tal y como profetizó Nostradamus, acabamos de pasar la Tercera Guerra Mundial, sólo que esta vez, en lugar de matar al vecino por sus gallinas, hemos vivido el miedo, la destrucción, la radicalización y la reconstrucción a través de internet.

No ha hecho falta explotar una bomba nuclear. Tampoco se lo puede permitir una sociedad globalizada que está interconectada como un gran enjambre a través del comercio mundial. La estabilidad en el mundo físico es crucial, ya que cualquier desequilibrio tiene consecuencias a nivel planetario. Por eso el flujo emocional y energético que antes habría estallado en una guerra, ahora fluye libremente por la realidad virtual, minimizando los efectos en el mundo físico.

Otra expresión del tiempo como cuarta dimensión de la organización social en red se ve reflejada en las relaciones entre individuos, que ya no dependen de un lugar geográfico, sino sólo del periodo durante el que ese encuentro transcurre. En un **Mundo en Red** las personas se conectan sólo cuando es necesario desarrollar un proyecto para atender el bien común o la demanda social. Terminado el proyecto, el vínculo cesa, hasta que se decide volver a colaborar. A continuación, desarrollo cómo es el *Trabajo y economía en un Mundo en Red.*

En tercer lugar, está la concepción del tiempo como una variable que surge del entrelazamiento cuántico, y sólo existe para el observador que participa en el entrelazamiento de dos partículas. Las implicaciones de la física cuántica escapan a una percepción tridimensional del mundo, pero conforme vayamos avanzado en esta nueva Era tetradimensional iremos entendiendo cuán relativa es la realidad física que vivimos.

La **Era del Ser** es la del *empoderamiento personal.* La frase que resume el aprendizaje de la consciencia, que tiene lugar en el nivel de la voluntad, es "Yo Soy, Yo Puedo". Durante los siguientes cinco mil años la Humanidad aprenderá a **Vivir desde el Ser**, y desde allí crear la realidad.

Qué significa **Vivir desde el Ser**. Cómo empezar a conectar con uno mismo, conocerse, desarrollarse. Cómo Relacionarse desde el Ser. Estos son los temas que abordaré en el presente libro. Por el momento, ofreceré algunas pinceladas de cómo es este mundo que se despliega ante nosotros y que tenemos la suerte de ir creando. Somos testigos y protagonistas de una nueva realidad, de una nueva Humanidad. Ya pasamos el punto de inflexión del 2012, y no hay vuelta atrás. Ante nosotros se descubre otra Era de energía femenina *(unir, crear y sentir)*, de energía de amor. Como individuos aprenderemos a integrar quiénes somos, a conectar con nuestro Ser, a vivir en coherencia. Como miembros de una sociedad mundial, aprenderemos a relacionarnos desde el amor, a dar lo mejor de nosotros por el bien común. Como sociedad aprenderemos a crear nuestra realidad desde la voluntad consciente.

ERA DEL SER

Organización tetradimensional, en red

Se cristalizan redes

Energía femenina

Aprendemos a Ser y empoderarnos

2012 a 7000

Trabajo y Economía en un Mundo en Red

Quizá suene a utopía, pero cuando aprendamos a **Vivir desde el Ser**, trabajaremos sólo en aquello que realmente nos gusta. Ganaremos dinero dando lo mejor de nosotros al mundo, y habrá lugar para todos. No existirá la jubilación, porque nadie querrá dejar de contribuir con el fruto de su experiencia y sus talentos.

Desde el Ser descubres tus miedos, los enfrentas y comprendes que sólo han sido los humildes guardianes de tus talentos. Dejas de ser reactivo y empiezas a actuar y tomar decisiones desde la coherencia: lo que sientes, piensas y haces está en sintonía. Esta sintonía se contagia y ayuda a otros a seguir su propio camino de autodescubrimiento y resonancia interna.

En un mundo globalizado, puedes elegir con quién te unes para abordar un proyecto, que siempre atiende la demanda social y el bien común, y te quedas con los que son coherentes, porque de ellos te puedes fiar en todos los sentidos, y la relación es más fácil. Los que no hacen su trabajo personal y su conducta egoísta es motivada por sus miedos no resueltos se quedan fuera de las oportunidades de colaborar con otros. La incoherencia es autoexcluyente.

En un **Mundo en Red**, nada es para toda la vida. Cualquier proyecto es puntual, ya sea que dure unas horas o unos años. Lo normal será participar en varios proyectos a la vez, ya que en la variedad está la "seguridad", y lo de "un trabajo para toda la vida" se va a terminar. La estabilidad de un mundo jerárquico resulta rígida vista desde la **Era del Ser.** Curiosamente, desde la **Era del Comercio**, la inestabilidad estaría en proyectos efímeros, en la ausencia de lazos contractuales de larga duración, y en la necesidad de abordar varios proyectos al mismo tiempo.

Las empresas a la larga desaparecerán, o al menos la mayoría, y las que quedan contratarán a profesionales independientes *(outsourcing)* en la medida que necesiten según el proyecto a realizar. La mayor parte de la fuerza laboral será autónoma. Los profesionales independientes se asocian entre sí en la medida que lo requiera el trabajo a realizar. Esto está sucediendo ya. Por ejemplo, para construir una vivienda ya no quedan casi grandes empresas, sino que el constructor se alía con el peón, el fontanero, el carpintero y el electricista en quienes confía para desarrollar cada proyecto puntual. En cuanto se termina de construir la vivienda, se acaba la asociación. Y si la experiencia fue productiva y positiva, seguramente se repita la sinergia.

Las formas de financiación también varían. El *opensourcing* es cada vez más popular. Jóvenes que crean su negocio, lanzan su idea al mundo a través de cualquiera de las múltiples plataformas online que existen para poder encontrar fondos con el fin de iniciar la producción. O las *startups*, que ofrecen soluciones virtuales innovadoras, son apoyadas por los mismos consumidores de manera inmediata gracias a la rapidez de internet. Ya no se depende de alguien pudiente o poderoso que crea en ti. Sólo necesitas creer en ti mismo.

Hasta las maneras de investigar están cambiando. La NASA recurre a astrónomos aficionados para realizar sus observaciones. Cadenas de supermercados testan sus productos con sus clientes reales con el fin de modificarlos y adaptarlos a estos. Poblaciones enteras se pueden convertir en bancos de prueba voluntarios. El cliente lo es todo. Ya no es la empresa la que inventa una estrategia de marketing para "colarnos" lo que nos quiere vender, sino el consumidor final quien aprueba o desaprueba a ésta, y quien con sus comentarios determina su éxito o el fracaso.

La creatividad, la innovación, la cultura, más que el producto material en sí…, la economía se basará en el valor añadido.

La *wikinomía*, la economía de la **Era del Ser**, es rápida, involucra al público, es variada y a pequeña escala, no se puede controlar, es colaborativa, impredecible, transparente, abierta, libre, conectada, original, flexible, adaptable, creativa, de valor añadido, y atiende al bien común. En la siguiente tabla hago una comparativa entre la economía jerárquica y la *wikinomía:*

ECONOMÍA JERÁRQUICA	WIKINOMÍA PRODUCCIÓN
Producción	Creatividad
Control	Fluir
Dominación	Compartir
Silenciar	Comunicar
Opacidad	Transparencia
División	Unión
Imposición	Servicio a demanda
Identificación con el grupo	Individualización
Egoísmo	Empatía
Rigidez	Adaptabilidad, flexibilidad
Obediencia	Autoexpresión
Pensamiento único	Ideas propias
Cualidades estandarizadas	Talentos individuales
Acumulación riquezas	Reparto y comercio justo
3D = material	4D = virtual, valor añadido

La Educación en un Mundo en Red

En la **Era del Ser** la Educación será radicalmente diferente a lo que ha sido hasta ahora. La crisis actual que la enseñanza está viviendo a nivel global pone de manifiesto la inadecuación de los sistemas educativos vigentes hasta ahora. Y como ocurre con el comercio, es el consumidor final el que puja por un cambio, es decir, los propios niños, y por extensión, sus padres.

En la educación primaria nuestros hijos quieren aprender, pero se encuentran con que los profesores no saben enseñarles. O más bien, los métodos de los que estos disponen no se adaptan a los nacidos en el siglo XXI. Los alumnos se aburren, no prestan atención a contenidos que son vomitados y que sólo requieren ser memorizados.

Quieren divertirse, aprender jugando y sobre todo explorando y probando ellos mismos.

Un maestro de la **Era del Ser** ha de ser alguien que primero esté dispuesto a mirarse a sí mismo, en vez de proyectar sus miedos sobre los demás (ver *Proyecciones*). El alumno (y el hijo) es el verdadero maestro. Hay que escucharle y mostrarle lo que pide su curiosidad, enseñarle a conectarse con el mundo y facilitarle la expresión de su creatividad. El uso de las nuevas tecnologías (que de nuevas ya tienen poco) y el trabajo en equipo son las asignaturas principales. Leer, escribir, matemáticas o sociales son consecuencias de interactuar con la realidad. Se interiorizan con la práctica.

La secundaria sufre de un problema similar, a lo que hay que añadir las complejidades de atender a adolescentes. A lo anteriormente dicho hay que sumar la importancia de que el joven pueda ver satisfecha su necesidad de expansión y comprobar que su contribución en el mundo puede marcar una diferencia, aunque sea pequeña. Valores como el servicio, la cooperación y salir del pequeño mundo del infante son las claves de la enseñanza en esta etapa.

Los estudios universitarios, en mi opinión, desaparecerán. No hay nada más jerárquico que una cátedra (o un funcionario). Con perdón de estos profesionales, pero yo iría mirando la manera de adaptarme a los nuevos tiempos. Para empezar, dedicar 3, 4 o 5 años de tu vida, o los que sean, a estudiar sin más, a interiorizar, absorber contenido, no tiene ningún sentido. Esto sólo mina tu autoestima (ver *La luz al final de la cueva*). Y menos aun cuando los temas están estandarizados y uno no puede elegir las asignaturas que quiere. En un **Mundo en Red**, las estudiantes eligen cada una de las asignaturas o temas que quieren estudiar y cuándo estudiarlas. Dedican no más de un año a ello, y ponen en práctica lo aprendido. Después de un tiempo, si así lo desean, pueden estudiar algo más para enriquecer sus conocimientos, aunque mezclen la economía con la parasitología, la medicina con la cuántica, o el derecho con el Reiki. Eso será una decisión personal.

Tampoco habrá salidas profesionales estandarizadas, sino que las aportaciones profesionales al mundo, que se adaptarán a la demanda social, se realizarán desde la suma de talentos + conocimientos + experiencias de aquellos individuos que decidan unirse y prestar el servicio demandado.

¿Qué decir de los títulos universitarios? Que irán perdiendo su valor, hasta que las Universidades se reformen y adapten a la nueva realidad. En el futuro primará aprender online, cursos puntuales y específicos (en realidad este movimiento existe ya, y de hecho empieza a ser muy popular en los Estados Unidos, con alumnos de todo el mundo participando en los programas ofrecidos). La Educación Superior seguramente no será gratuita, pero será muy asequible y flexible. Por supuesto, los valores antes mencionados de la enseñanza primaria y secundaria aquí siguen vigentes, y a estos hay que sumar el estímulo para crear una iniciativa empresarial/profesional, y el apoyo experimentado para que los jóvenes aprendan de sus fracasos.

En la siguiente tabla ofrezco un resumen de los objetivos claves de cada etapa educativa, según mi punto de vista:

PRIMARIA	SECUNDARIA	ESTUDIOS SUPERIORES
Uso de tecnologías	Expansión	Proyección y gestión de iniciativas profesionales
Trabajo en equipo	Utilidad	
Conectarles con el mundo	Aprender el valor del Servicio	Aprender a fracasar

El cambio en la Educación, al igual que todo cambio estructural hacia un **Mundo en Red**, no vendrá desde arriba, desde los estamentos gubernamentales, sino desde abajo, desde las propias familias que quieren ofrecer a sus hijos una enseñanza diferente, sacándolos del sistema —a pesar de la inseguridad que sientan-, abogando por la escuela libre, desde las AMPAs, que apostarán en la medida de lo posible por actividades nuevas que realmente se adapten a los niños, desde los profesores que encuentren el margen y la confianza como para probar estrategias originales…

Los cambios vendrán desde muchos sitios diferentes –y esto también se aplica a las estructuras políticas, económicas y administrativas-, serán pequeños, dispersos, variados, pero entre todos, terminarán creando una masa crítica…, y antes de que se den cuenta, las viejas estructuras caerán.

El sistema jerárquico patriarcal, acostumbrado a los grandes movimientos, no reconocerá la "amenaza" que para su estabilidad suponen todas las nuevas corrientes de un **Mundo en Red**. Poco a poco, aunque casi sin darnos cuenta, cambiaremos nuestro mundo. Un mundo en el que aprenderemos a **Vivir desde el Ser.**

Ese mundo estará centrado en los niños. Ellos serán considerados los maestros, los que nos traen lo nuevo, y les prestaremos mucha atención. También serán nuestros guías, apuntando siempre hacia nuestro interior, ayudándonos a permanecer en nuestra conexión con nuestro Ser.

Un mundo centrado y diseñado para adultos supone que quizá cuando llegues a tener más de 40 sientas que empieces a encajar, pero te encuentras con que primero tienes que trabajar todo lo no integrado en las cuatro décadas previas. Al final se te hacen los ochenta y ya es un poco tarde porque el cuerpo para entonces no acompaña.

Un mundo diseñado para los niños garantiza la felicidad de toda la población, una buena integración personal y emocional, y la oportunidad de disfrutar y de dar lo mejor de uno desde joven hasta el final de los días. Yo quiero vivir en ese mundo, ¿y tú?

Vivir desde el Ser

El viaje de la mente y las emociones

Pero antes, volvamos otra vez atrás en el tiempo. Esta vez aún más lejos, cuando todavía éramos nómadas caminando por la sabana. Una especie gregaria cuyo único objetivo era la supervivencia. Este es el viaje de la mente humana, de cómo empezamos a pensar y a tener emociones. Si entendemos cómo funciona nuestra biología, nos será mucho más fácil comprender nuestras reacciones. Para **Vivir desde el Ser** hemos de aprender a ser proactivos y no reactivos.

Hace cientos de miles de años no teníamos un lugar donde vivir, sino que nos trasladábamos según las estaciones allá donde hubiese alimento. Éramos fuertes y robustos, y aguantábamos bien las inclemencias del tiempo…, aunque no todos. Los bebés y los ancianos eran más frágiles. Necesitaban protegerse de las condiciones climáticas. Apenas contábamos con un lenguaje rudimentario, por lo que para los más pequeños no era posible comunicar sus necesidades. Afortunadamente, los ancianos sí podían influenciar a los demás, avisándoles cuando había que refugiarse porque venía una tormenta.

Parecía que poseían un sexto sentido especial. Los cielos estaban claros, y sin embargo, eran capaces de percibir el mal tiempo antes de que llegase, avisar a los miembros de su clan, y hacer que todos se pongan a resguardo. Aunque lo pareciese, no era magia, ni tenían habilidades especiales. Eran capaces de reaccionar así gracias a un rasgo biológico que, fíjate si es importante, aún hoy en día disponemos de él, a pesar de que hace miles de años que no lo precisamos.

Toda aquella persona que haya sufrido una enfermedad importante, una depresión o una rotura de huesos sabe a lo que me refiero.

A partir de la dolencia, uno se vuelve especialmente sensible a los cambios de clima; en concreto, a los cambios de presión atmosférica y a la ionización de la atmósfera. Si nos auto-observamos, descubrimos además las tres respuestas programadas biológicamente que estos fenómenos nos producen. A saber, reunirnos con los nuestros, movernos y buscar refugio.

Lo he observado en mí misma y en otras personas continuadamente. Sobreviene una sensación de malestar que te impulsa refugiarte, es decir, a querer irte a casa. Y si estás en casa, sientes desasosiego, ganas de moverte (luego veremos por qué). Además, el impulso te hace desear tener contacto físico con los tuyos. Te invito a que te observes la próxima vez que avisen de mal tiempo.

¿Y por qué sólo lo sienten los ancianos, o a las personas que han estado enfermas, con huesos rotos o deprimidas? Básicamente por dos razones. Por un lado, la persona que ha sufrido un daño se vuelve más autoconsciente -es un instinto de autoprotección-, y por tanto está más pendiente de percibir sensaciones, está más atenta a sufrir. Por otro, cuanto más débil la musculatura, más actúa el cuerpo como una caja de resonancia. Es decir, más fácil es que penetre la información atmosférica, vibracional, electromagnética, energética, etc. en ella, y la haga "vibrar" con sensaciones (ver *Percepción sensible, más allá de los límites del cuerpo*).

Pues bien, entonces ya tenemos a nuestro clan caminando por la sabana hace cientos de miles de años, persiguiendo animales y buscando mejores frutos. Entonces se acerca un frente de tormenta, pero el cielo está azul. Los ancianos empiezan a sentirse mal, e instan a los demás a buscar refugio y a estar todos reunidos. La lluvia quizá tarde unas horas en llegar, pero cuando lo hace, todos están a salvo. Seguramente no les pasaría gran cosa a los adultos, pero así se evitarían las enfermedades de los más débiles, entre ellos los niños, asegurando por tanto la supervivencia del clan.

Pero entonces, nuestros antepasados llegaron al norte de lo que ahora es España y sur de Francia, y se encontraron valles con abundante alimento todo el año, y con unas maravillosas cuevas donde vivir. Ya no necesitaban migrar, ni buscar refugio. Pero ese rasgo biológico de sensibilidad hacia los cambios climáticos seguía existiendo. Los ancianos y los niños ya estaban a resguardo cuando llegaba la tormenta. ¿Entonces qué ocurre?

La respuesta la encontramos hoy en día en la evolución misma del pensamiento de los niños. Hasta los 3 o 4 años, el niño no piensa, siente. Y repite lo que percibe porque así los suyos le "reconocen" como del clan. Pero a partir de los 4 y hasta los 7 años de edad, aproximadamente, comienza el proceso de mielinización de la vaina del sistema nervioso autónomo y la consolidación de los procesos cognitivos. Es decir, durante esta etapa se crea el pensamiento racional, los patrones con los que se piensa y actúa. Aprendemos a pensar.

El niño, mientras no "madure" –hasta los 9 años o la adolescencia-, necesita pertenecer, ya que el cuidado por parte del clan es su garantía de supervivencia. Si siente algo diferente a su impronta (ver *La impronta*), se alejará de ello. Primero lo hará con movimiento físico, pero, en la medida en la que desarrolla el lenguaje y la imaginación, luego es la mente la que empieza a "correr" en la forma de pensamientos.

Recuerdo cuando el funeral por la trágica defunción por muerte súbita de mi sobrino con un mes, su hermano de 3 años vio a su madre sufrir y se acercó a ella para preguntar si estaba bien. Después de estar en sus brazos –y haber absorbido mucho de su dolor-, el pequeño, cuando terminó la misa, empezó a correr y dio varias vueltas a la iglesia. Afortunadamente, nadie le paró.

Así, podemos comprender a nuestro anciano ancestro en su cueva, y cómo una tormenta que se acerca le hace sentirse mal. Como ya no tiene a dónde correr, y con su cuerpo no se desplaza, será su mente la que empiece a moverse; primero con la imaginación, expresándose a través de las pinturas, y luego mediante el pensamiento, que exterioriza con la palabra.

Imagina ahora que este anciano empieza a sentirse aún peor, seguirá huyendo dentro de la cueva, cada vez a más profundidad…, pero de manera simbólica, creando pensamientos, juicios, razonamientos que le permitan separarse y alejarse de lo que siente desagradable. Al final se obsesionará, cayendo en "la cueva, de la cueva", …

Creo que así es como surgieron las leyendas sobre el inframundo. El reino de Hades no está físicamente emplazado en las profundidades de una cueva, sino que se encuentra en la mente, cuando huye del cuerpo que habita. El verdadero infierno son las obsesiones mentales, cuando la mente ya no sirve para liberarte de las sensaciones desagradables, sino que crea sus propias emociones que son aún más terroríficas.

LA MENTE, UN MECANISMO DE DEFENSA

Así pues, la mente no es más que un mecanismo de defensa ante sensaciones que percibimos y que no entendemos. Los pensamientos que generamos nos pueden servir para transformar la realidad, para crear algo nuevo e incluso para imaginar un mundo mejor, pero no pueden deshacer la sensación original. Tarde o temprano ésta hay que abordarla, enfrentarla (ver *Los Miedos del Ego*). Mientras, nuestra mente sigue huyendo de ese malestar, pero con los nuevos pensamientos termina creando nuevos problemas, que a su vez generan emociones.

A pesar de que durante siglos negamos nuestra realidad emocional, ahora a veces la valoramos en exceso. Creemos que nuestras emociones son indicadores de la realidad. Si siento pasión ante alguien, estoy ante el amor de mi vida. Si me siento mal ante alguien, deduzco que no es bueno para mí. Pero en realidad barajamos emociones, fruto de pensamientos, que son una reacción ante lo que sentimos/percibimos. Y no tenemos ninguna consciencia de esto último, porque durante toda la Era patriarcal nos hemos separado de nuestro cuerpo y de nuestras sensaciones.

Sensación - Pensamiento - Emoción

Insistiré un poco más en esta secuencia para que quede claro cuán desconectados estamos de nosotros mismos, de lo que percibimos. Este entendimiento además es clave para aprender a **Vivir desde el Ser**.

En primer lugar, percibimos a través del cuerpo y sus cinco sentidos un estímulo que puede ser físico, emocional, vibracional, energético. Puede ser algo obvio, visible, como un atardecer en la playa, con la brisa marina acariciando tu piel, o algo menos placentero, como pincharse con una acacia. También puede ser el estado emocional de otra persona (ver *La escucha sensible*). Por ejemplo, si alguien está muy enfadado frente a ti, sentirás el impacto de su enojo en tu cuerpo. Pero puede ser algo más sutil, y difícil de detectar en origen, por ejemplo, la rabia contenida de alguien que te mira con una sonrisa, o los cambios de ionización o de presión atmosférica. E incluso puede ser algo energético, como las memorias de información retenidas en lugares físicos o geográficos, o corrientes a mayor escala que se perciben a nivel planetario, y que podemos comprender mejor a través de la astrología.

En segundo lugar, entra la mente, a no ser que realmente seamos capaces de "estar presentes"... ¿Y cuándo entra la mente? Cuando la sensación percibida es diferente a lo que para nosotros es seguro (ver *La impronta*), ya sea cualitativamente o cuantitativamente. Y es que consideramos una amenaza incluso sentir algo agradable, si es una sensación que desconocemos, o viene con una intensidad a la que no estamos acostumbrados. La mente entonces intenta separarse del cuerpo emitiendo un juicio, catalogando, describiendo, encajando lo percibido en una cajita conceptual, lo que nos permite digerir la realidad poco a poco.

En tercer lugar, surgen las emociones. Si la sensación, llamémosla "extraña" o ajena, no desaparece, la mente le da otra vuelta a la interpretación, riza otro rizo, encadena otro juicio, entra a un rincón de la cueva más profundo... Con la vuelta de tuerca, la mente empieza a crear su propia realidad energética, emocional e incluso física, empieza a generar emociones para "justificar las sensaciones", para obtener una falsa sensación de control. A continuación, expongo algunos ejemplos.

Ejemplo 1: sensación física, obvia, agradable. Estás sentado en la orilla del mar, sientes el agua en tus pies, escuchas el sonido de las olas y las gaviotas, el sol se pone y sus rayos te mecen cálidamente, mientras la brisa te envuelve. Aunque se trata de sensaciones agradables, tantas juntas producen un exceso de estimulación. Estar presente resulta difícil y la mente se disocia del cuerpo: empiezas a evocar un recuerdo romántico y sientes una explosión emocional de amor.

Ejemplo 2: sensación emocional, obvia, desagradable. Tu jefe está cabreado y te echa una bronca, diciendo que no has hecho bien tu trabajo. El cabreo de tu jefe penetra en tu cuerpo, la sensación es intensa y desagradable. Tu mente se disocia y empiezas a pensar en qué has hecho mal, dónde te has equivocado, sientes culpa, luego te das cuenta de que has hecho lo que has podido y giras tu atención hacia lo injusto que es tu jefe, generando como emoción la rabia.

Ejemplo 3: sensación emocional, sutil, desagradable. Un cliente entra a tu negocio y desprecia tu trabajo con una actitud de prepotencia. En el fondo es una persona insegura, que se cree inútil y lleva una máscara de soberbia para protegerse. Percibes su inseguridad inconscientemente y la haces tuya, tu primer pensamiento es querer hacer algo para agradarle, pero te sientes torpe. Después pensarás que el cliente ha sido un grosero y terminarás generando una emoción de rabia.

Ejemplo 4: sensación atmosférica, sutil, desagradable. Se acerca un frente de tormenta, pero no lo ves. Los cambios atmosféricos te hacen sentir desasosiego, pero no eres consciente. De repente tu humor cambia, te frustras y te enfadas porque tu pareja no quiere ir a donde tú quieres ir, y cuando ves que responde no haciéndote caso, piensas que no te quiere y creas una emoción de abandono y soledad.

Ejemplo 5: sensación energética, obvia, agradable. Visitas unas ruinas ancestrales que son un centro de poder energético importante (Machu Picchu, Stonehendge,…). El lugar es bello y quieres disfrutarlo, pero la energía que tu cuerpo percibe es potente y activa tus memorias celulares (ver *Memorias celulares, traumas y karma)*. A pesar de que quieres disfrutar, te asaltan creencias fuertemente engranadas en ti, generando una emoción de abandono, rechazo, descontrol, etc. Nótese que no he dicho "desagradable", y es que una sensación agradable energética –como la que se almacena en las piedras de un centro de poder- puede convertirse en una emoción desagradable, al activar memorias celulares.

El primer ejemplo suena idílico, pero la mente ha hecho de las suyas al igual que en todos los demás, separándote de la percepción real de las sensaciones, refugiándose en su mundo imaginario y de palabras, y generando su propia realidad emocional…

Separar la mente del cuerpo limita o corta la conexión con las sensaciones, pero también con el Ser. De esta manera, la mente nos protege de una conexión demasiado fuerte, con demasiada información que seríamos incapaces de integrar. Conocer este mecanismo es importante para aprovecharlo a nuestro favor sin dejarnos llevar por él. Escindirse un poco ayuda a integrar, pero hacerlo mucho nos lleva a crear una realidad emocional paralela que, debido a las características de la Era anterior, la del Comercio, nos lleva al sufrimiento.

En los ejemplos anteriores hay más factores en juego, como los miedos, las memorias celulares, la impronta o la percepción sensible de la realidad. Estos temas los iré desgranando más adelante, pero por ahora recapitular lo visto en este último punto:

Primero percibimos a través de nuestros sentidos y nuestro cuerpo. Dicen que la glándula pineal es la que nos permite captar todo lo energético. Si lo que percibimos es ajeno a nosotros, el contraste impulsa a la mente a separarse para "ver" qué es. En esencia, si siento algo que pudiera ser una amenaza, me muevo primero, me separo. Este movimiento lo puedo hacer físicamente, desplazándome, o mentalmente, con la imaginación o los pensamientos. Este mecanismo de defensa es muy práctico porque ofrece una pausa en la conexión con el cuerpo que recibe la estimulación, como un respiro, un espacio de observación que permite fichar, catalogar, asegurar que no hay peligro, para luego integrar la información. Pero si no somos conscientes de este proceso y la estimulación continúa, la mente sigue desconectada, intentando huir una y otra vez del cuerpo que siente y percibe, creando cadenas de pensamientos. Cada pensamiento genera su propia emoción, que se siente en el cuerpo, y así creamos nuestra realidad subjetiva, la realidad del Ego. La emoción puede ser dolorosa, pero el Ego cree que la "controla".

Repito la secuencia:

Sensación - Pensamiento - Emoción

El problema viene cuando cada uno crea su propia realidad individual e intenta relacionarse con otros: no nos relacionamos desde el Ser, sino desde el Ego. En tiempos patriarcales, te encajabas en un rol y a sufrir en silencio la incoherencia entre tu mundo interno y el externo. Pero en un **Mundo en Red**, el impulso para conectarse con el Ser y vivir la propia realidad en coherencia es mucho más fuerte.

Dos caminos para llegar al Ser

En los últimos tiempos se da mucha importancia al estar presente, a vivir aquí y ahora, al mindfullness, a mantener la mente en blanco, al silencio y la quietud interiores. Pero cuando lo intentamos, ¡cuán difícil es!

Desde mi punto de vista hay dos caminos para llegar al Ser. Uno es el cultivo de la presencia a través de la disciplina, pero para ello hay que saber soportar, aguantar la propia tormenta mental, que surge de aproximarse al centro de uno mismo, así como los dolores de.

memorias atrapadas en las células, activadas por la proximidad a la propia esencia, y atravesarlos. Nuestro Ser moviliza un gran caudal de energía muy difícil de integrar en la personalidad que sostiene el Ego en estas tres dimensiones. Si conectásemos de golpe y no progresivamente, seguramente reventaríamos con un infarto o nos volveríamos locos.

Este camino de la presencia no necesita recurrir al análisis mental y a la comunicación, pero sí requiere un gran trabajo a lo largo del tiempo, soledad, mucha persistencia, concentración y disciplina. Quizá sería una buena manera para personas con mucha energía masculina.

Mi camino para llegar al Ser, quizá por ser mujer, ha sido otro. Conociendo cómo funciona la mente y cómo generamos nuestras emociones, observo mis procesos, permito que me lleven a lo más profundo de mí. Allí intento ponerles palabras, ya que el contenido inconsciente se hace consciente mediante el uso del lenguaje, por propia definición (nunca mejor dicho). De esta manera consigo despejar el miedo y las creencias limitantes que me separan de mi esencia.

Este camino también requiere tiempo, y es igual de doloroso que el anterior, pero no hay que tener una disciplina férrea continuada, aunque sí voluntad de enfrentar tu sombra cuando la oportunidad aparece. De hacerte responsable de todo lo que te sucede. Así, cualquier momento de dolor, de desencuentro, de frustración, puede ser vista como una oportunidad para el conocimiento y desarrollo personal. Llega un punto en el que ya reconoces tan bien esta dinámica, que observas a tu cuerpo y lo que percibe como si estuvieras leyendo un mapa que te lleva al centro de ti mismo. Aunque a veces pueda ser duro, es un camino fascinante y mientras lo recorres se abren ante ti múltiples historias que vas desgranando, revelando y perdonando.

EL SUBCONSCIENTE COLECTIVO Y LA CONSCIENCIA

Por si no tuviéramos suficiente con nosotros mismos, resulta que nuestro trabajo personal está imbricado con el del subconsciente colectivo. **Carl G. Jung** habló mucho de esto, y su entendimiento sobre la mente colectiva y el lenguaje de los símbolos fue realmente profundo y fascinante.

Todo es información y ésta se organiza en patrones fractales. Toda realidad es una parte de una realidad de nivel superior y paralela, y contiene a su vez fragmentos que replican perfectamente la totalidad de esa realidad. Como es abajo, es arriba, pero también es en el medio, y así infinitamente. Todo contiene a todo. En cualquier singularidad se halla la totalidad de información del Universo... Pero no te rayes..., no le des muchas vueltas a esto.

Lo que necesitamos entender es que estamos insertados en una red vincular, de tal manera que nuestras relaciones son las precisas para vivir las experiencias pendientes necesarias, con el fin de añadir éstas al paquete de información que es nuestra consciencia. Nuestra

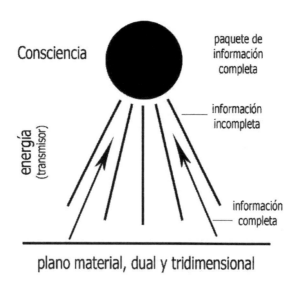

consciencia no forma parte de la realidad tridimensional, sino que es información empaquetada con tareas pendientes.

La información empaquetada no es dual, sino que tiene un valor vibracional armónico, y por tanto se puede sostener en sí misma por la integración de la cohesión (energía femenina).

Las tareas pendientes (karma) son información dual, y por tanto no empaquetada, sino separada, pero que por su propia inercia busca completarse a través de la acción en la materia (energía masculina). Podemos decir que la información que es la consciencia se sostiene mediante la energía femenina, y que la energía masculina transporta la información incompleta hacia el mundo de la materia, para devolverla, una vez sublimada la polaridad, a la consciencia para su integración, y por tanto su desarrollo. Ambas fuerzas se complementan y permiten la expansión. En el gráfico anterior represento esta dinámica de manera esquemática.

Somos seres espirituales viviendo experiencias humanas. Somos consciencia que mueve información mediante energía y experimenta en la materia. Las experiencias que vivimos en el mundo material las podemos integrar en nuestra consciencia, y así ésta se desarrolla, una vez que hayamos integrado la polaridad de esa experiencia, es decir, que nos hayamos dado cuenta de que amar y odiar son dos polos de una misma cosa, que es igual ser víctima que perpetrador, o manipular que ser manipulado, encarcelar o liberar.

A su vez, la consciencia individual está imbricada en la colectiva a través de las relaciones, y el "lenguaje" que utiliza es lo que llamamos arquetipos –que viene de dos vocablos griegos que significan modelo del origen-. La consciencia colectiva, que está conectada con el plano terrenal y no el de la consciencia individual, es como el alma del colectivo humano, también almacena paquetes de información empaquetada accesibles tanto a individuos como al colectivo.

Estos paquetes de información están constituidos por problemas y su solución. Y la información se transmite a través de la energía. Cada vez que una persona tiene un problema, lo enfrenta y lo resuelve, la información completa del proceso concluido, de ese "círculo cerrado", de ese paquete de información, se deposita en la consciencia colectiva —mientras quede sin resolver, formará parte del subconsciente colectivo (ver *El Techo del Ego*).

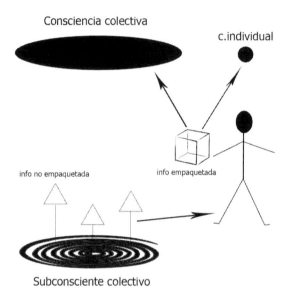

Cuando otro individuo se propone enfrentar el mismo problema, automáticamente conecta —generalmente inconscientemente- con ese paquete de información, que estará disponible para él. Así, será capaz de arribar a la solución más fácilmente que el primero que enfrentó el problema. A su vez, cuando la obtenga, cuando empaquete la información, enriquecerá con su resolución —y sus variantes personales- el mencionado paquete en la consciencia colectiva. En otras palabras, con el trabajo personal que haces estás contribuyendo a mejorar la humanidad.

Además, la contribución es mayor si la solución es más sintética y global, ya que más gente podrá conectar con ella. Por ejemplo, imagina que estás trabajando la polaridad agresivo-pasivo. Puedes llegar a una conclusión parcial, como que "la violencia de género no se puede tolerar", o una un poco más general, como que "es importante poner límites", o mejor, "hay que ser asertivos". Pero la más sintética y por tanto global sería la de "permanece en tu centro". Evidentemente no basta con una realización intelectual de este hecho, sino que es necesario experimentarlo para poder integrarlo y así ofrecer al colectivo el paquete de información empaquetada.

Masa crítica

Hay un punto a partir del cual se produce un cambio de consciencia a nivel de colectivo. Este punto se llama de "masa crítica" y en la sociedad se alcanza con el 10%. Es decir, el 10% de las personas –y esto es aplicable a cualquier cambio dentro de cualquier tamaño de colectivo- ha de hacer un cambio de manera consciente. A partir de esta cantidad, el paquete de información creado en la consciencia colectiva se convierte en un nuevo arquetipo global y el resto de personas realizan el cambio "por moda".

El cuidado del medioambiente, la importancia de reciclar, la necesidad de preservar la cultura propia, la valorización de los productos ecológicos, la necesidad de cuidar la alimentación sana, el uso de la bicicleta como transporte, son algunos de los temas más destacados en los que está inmerso el colectivo humano, en su camino de desarrollo de la consciencia. Se puede observar cómo en grupos poblacionales que alcanzan el punto de "masa crítica" se produce el salto, y de ser la actividad o actitud en cuestión algo marginal, pasa a ser "lo que hay que hacer", algo que está de moda. Como dijo un día mi madre con respecto al reciclaje –yo había hecho ya mi cambio consciente, eligiendo separar los residuos por criterios ponderados y documentados-, "claro, si es que con esta consciencia ecológica que tengo ahora, no puedo tirar mal la basura". Pues eso.

Memoria celular, traumas y karma

Nuestra consciencia experimenta en la materia a través de las relaciones vinculares, en conexión con la consciencia colectiva. Pero seguimos tomándonos nuestros problemas muy en serio y muy personales. Si no has abierto tu nivel de percepción consciente al colectivo, crees que lo que te sucede sólo te pasa a ti. Sin embargo, tu problema es mucho mayor que tú, tiene muy poco que ver sólo contigo, y es común a muchas personas en este planeta. No es personal.

Sigmund Freud fue el primero en tratar, a través del psicoanálisis, cómo lo vivido en la infancia nos afecta emocionalmente. Disciplinas como la biodescodificación, que se apoyan en el análisis transgeneracional, entienden que somatizamos conflictos no expresados de nuestros ancestros. Son muchos los sistemas de creencias que hablan del karma individual, y de cómo renacemos para completar aprendizajes.

Podemos hablar de vidas pasadas, y los aprendizajes que arrastramos para intentar resolver asuntos pendientes, o de los problemas de nuestros ancestros que repetimos, o de los traumas de la infancia a raíz de la relación con los padres y la familia. Puedes creer en unos y en otros no. Personalmente, opino que es mejor no creer en nada que no hayas experimentado, pero mantener siempre una mente abierta a todas las posibilidades.

Sea como fuere, lo mires como lo mires, cualquier problema que analices puedes encontrar su reflejo en tu infancia, en tu árbol familiar (karma familiar) y en tus vidas pasadas (karma personal), pero también en la sociedad (karma social). Por lo tanto, lo importante no es cuál de esas interpretaciones es cierta o válida, sino que todas ellas te permiten un cierto grado de desapego de tu realidad. Te sacan de tu pequeño mundo. Te ayudan a no tomarte las cosas demasiado personales y abre tu percepción consciente, que para mí es la clave fundamental. Pido al lector que no se quede con la interpretación literal (que si vidas pasadas, que si transgeneracional, o que si la culpa de todo lo tienen mis padres) y permita abrir su mente a múltiples posibilidades, en vez de quedarse con las creencias limitantes.

Creencias Limitantes	Múltiples posibilidades

Cuando hablamos de karmas o traumas, en esencia, estamos hablando de información. Y esa información está "encriptada" en las células de tu cuerpo.

Cuando logramos enfrentarnos a nuestra sombra, resolviendo nuestros traumas, liberamos esa información, y al hacerlo nos quedamos con el regalo del conocimiento y el dominio de la expresión de un talento (ver *Proyecciones*). Y por supuesto, una vez decodificada la información y liberada, queda a disposición de la consciencia colectiva.

¡Toda vida es significativa! Ya seas ministro o barrendero, maestro o dependiente de una tienda. Lo único que importa es que estés centrado en ti. Independientemente de lo nobles o no que sean tus intenciones, si tus pensamientos son sobre ti primero, en vez de sobre los demás, tu contribución al mundo será mayor. Tu influencia será mayor, para mejor o para peor.

La diferencia está en que una persona "mala", egoísta, que roba a los demás y cuyas acciones dañan a otros –además de acumular más karma-, provoca el crecimiento de otros por reacción. Es decir, sus acciones hacen que los demás tengan que redefinirse, centrándose en sí mismos, aprendiendo y por tanto evolucionando. Mientras, esta persona no crece, no evoluciona. Por ejemplo, imagina a un psicópata. Su falta de empatía y fines personales suelen repercutir negativamente en los demás. Las personas a su alrededor sufren, pero terminan recolocándose y posicionándose más en su centro. A cambio él no evoluciona en esta vida, y su saldo kármico al final de sus días será considerable. Me gusta considerar a estas personas como las almas más generosas, ya que hipotecan su desarrollo personal por los demás.

Ahora imaginemos el ejemplo contrario, una persona centrada en ella y en su desarrollo personal. Aprende a anteponer sus necesidades, antes de intentar ayudar a los demás, para dar luego desde lo mejor de ella misma. Seguramente, por el camino cometa errores y se equivoque, pero su esfuerzo y sus logros serán inspiración para otros. Y la felicidad que vaya alcanzando la irradiará a los demás. El fruto de su trabajo personal además lo contribuirá al subconsciente colectivo.

Otro ejemplo sería el barrendero que disfruta de su trabajo. El bienestar de su vida sencilla lo transmite cada mañana a todas las personas con las que se cruza –aunque éstas sean inconscientes de su efecto-. Su alegría ingenua es un bálsamo para el subconsciente colectivo.

Pero luego están todas aquellas personas condicionadas culturalmente a anteponer siempre a los demás. Algo que ha afectado especialmente a las mujeres durante esta última Era. Todo su potencial para influir con su energía nutridora, cuidador, amorosa, se ha visto coartado por la orden de que "para ser un buen cristiano" (por mencionar una religión), o "para ser una buena ama de casa", no pienses en ti y selo todo para los demás. El resultado ha sido no sólo un tremendo desempoderamiento de la mujer, sino la anulación de ésta y su influencia, ya que, una persona con su foco fuera no está "en su casa", en su cuerpo…, no habita en ella y, de paso, los demás tampoco la ven.

Esta forma de actuar, de vivir, dificulta asimismo el desarrollo personal, ya que la persona no reacciona ante las injusticias, ofensas o daños perpetrados por otros, por lo que no puede reposicionarse. El aprendizaje es escaso y la influencia sobre los demás es casi nula. Al final es necesario un acontecimiento vital traumático, como una muerte, una enfermedad, una pérdida importante, etc., que sacuda lo suficiente a las personas, como para hacerlas reposicionarse en su centro. Los casos más extremos son los cánceres. El cáncer es el último reclamo del cuerpo para que vuelvas a ti mismo.

El caso de Jesús de Nazaret

Para ilustrar mejor la relación entre la consciencia colectiva y la individual, quiero exponer qué sucede cuando una persona decide realizar su desarrollo personal y avanzar mucho más allá de la media del grupo humano del que forma parte, a través de mi interpretación de lo que le sucedió a Jesús de Nazaret. La evolución no tiene fin, y continuar con el trabajo personal implica ir ampliando tu consciencia cada vez a ámbitos más colectivos, es decir, pasas de un foco personal, al colectivo y por último, al transpersonal. Al principio solo te preocupas de ti mismo, pero luego aparece la necesidad de ayudar a los demás para de alguna manera contribuir a crear un mundo mejor en el que vivir. Paralelamente, el trabajo que haces sobre ti mismo atraviesa las mismas fases, y te encuentras abordando temas cada vez más genéricos y menos personales: pasa de darte cuenta de cómo te influyeron tus padres, al condicionamiento que vives por las creencias familiares y las fidelidades al árbol transgeneracional, a comprender cuáles son las grandes historias de la humanidad con las que sintonizas (inmigraciones, guerras, exterminios, pérdidas,…).

Cuando alguien avanza en su desarrollo personal, su preocupación por los demás aumenta porque se vuelve más sensible al sufrimiento humano. En este caso hay tres maneras de actuar. Hay quien decide aislarse, progresando espiritualmente, y contribuyendo a la consciencia colectiva con el resultado de su contemplación. Otros se rodean de personas afines, que siguen el mismo camino de desarrollo personal, apoyándose mutuamente en su crecimiento, contagiando colectivamente a la sociedad que les rodea.

La tercera opción implica conectar con personas que no han trabajado sobre su desarrollo consciente y querer ayudarlas. Cuando ayudas a otros, en realidad estás ayudándote a ti mismo, porque lo que ves en el otro es tuyo (ver *Proyecciones*), aunque sea a nivel colectivo. Proponerse cargar con los problemas de los demás puede ser doloroso y llevarte al sufrimiento, y en el peor de los casos a la enfermedad e incluso a la muerte. Jesús vivió los tres casos. El primero en sus retiros, el segundo con sus apóstoles, y el tercero con las masas que le seguían.

Jesús fue un ser humano que evolucionó rápidamente. Cuando resuelves un problema a nivel personal, después te haces sensible o sintonizas con ese problema a nivel grupal, familiar, luego social…, y así sucesivamente, abarcando una conexión cada vez más amplia hasta lo transpersonal y lo universal. Esta sensibilidad puede motivarte a recluirte de la sociedad o rodearte de un grupo reducido de personas.

Las relaciones son un acelerador evolutivo. El otro no es más que un mensajero de tu Ser para recordarte quién eres. Si decides seguir relacionándote con los demás porque tu impulso por ayudar puede más, tendrás que enfrentarte a aspectos tuyos cada vez más profundos y globales, y aprender lecciones cada vez más estructurales de la Humanidad. Puede dar la impresión de que vuelves a repetir lecciones que creías superadas. Tropezarte con la misma piedra puede ser demoledor para un Ego inmaduro. Este proceso puede ser además físicamente doloroso, conforme contactas y ahuecas memorias cada vez más imbricadas en el tejido colectivo. En este punto, hay quien decide retirarse –como muchos grandes maestros a lo largo de la historia-, y otros terminan escudándose tras una fachada mesiánica. Jesús se retiró momentáneamente y pasó 40 días en el desierto donde soportó duras y dolorosas pruebas, pero son muchos los casos de líderes religiosos que, desde su Ego malherido, acaban abusando de sus seguidores, postulándose como salvadores.

El desarrollo personal no puede ir nunca separado del desarrollo colectivo. Imagina un gran mantel que se quiere arrastrar desde un solo punto…, resulta difícil y pesado, y hasta se corre el riesgo de rasgar la tela. Análogamente, una única persona no puede cargar con el peso de la Humanidad sin terminar separándose de ella o claudicando ante el peso. Por eso lo ideal es reunirse con un grupo de personas que también quiere desarrollarse personalmente para lograr la masa crítica necesaria y tirar juntos del mantel.

Si uno carga con el dolor que proviene de ahuecar memorias densas, corre el riesgo de no poder soportarlo y ofrecer resistencia al proceso de liberación de esa energía. El resultado es el sufrimiento, y el problema es que éste no es evolutivo porque baja la vibración. Con la vibración baja no se puede ayudar a nadie.

Desde mi punto de vista, Jesús empatizó con el sufrimiento de la gente, conectó con los problemas del colectivo, "abrió" esas memorias en su cuerpo, soportó el dolor, pero antes de caer en la resistencia y el sufrimiento, aceptó la muerte como destino. Una muerte lúcida en la que uno deja el cuerpo de forma consciente (ascensión).

Afortunadamente, ya no vivimos en aquellos tiempos y la Humanidad está más desarrollada personalmente. Tenemos más empatía a nivel global que nunca. Ya no soportamos ver el sufrimiento ajeno; las desigualdades nos mueven y deseamos paz e igualdad de oportunidades para todo el mundo. Por supuesto que hay gente egoísta, sólo preocupados por ellos mismos, pero, aunque sean los que más ruido hacen, para nada son la mayoría. Somos muchos tirando del mantel, contribuyendo con nuestro trabajo personal y nuestra vibración al resto de la Humanidad.

No ayudes a los demás

No lo hagas. Métete en tus asuntos. Es mejor ser más egoísta... Esto puede sonar un poco raro, ya lo sé, pero es porque nos han educado para inmolarnos por el bien de los demás. Error. No somos Jesús y hacerlo sólo nos lleva al sufrimiento. Y desde allí no ayudamos a nadie.

Cuando intentas ayudar a alguien, sin darte cuenta cometes dos "errores" que al final te perjudican en tu evolución. Por un lado, te posiciones como el fuerte, como el salvador, lo cual es una manera de conseguir que te quieran, evitar el rechazo o de controlar la situación. Esto es manipulación. Por otro lado, estás intentando "arreglar" en el otro lo que no estás enfrentando en ti mismo. Si ves un problema en alguien es porque lo tienes tú (ver *Proyecciones*). Mira dentro primero. Y en tercer lugar, si pasas más tiempo pensando en los demás en vez de en ti, estás fuera de tu centro, y por tanto alejado de tu Ser.

Si no estás en ti, es como si no hubiese nadie en casa, así que no esperes visitas. En otras palabras, si te preocupas por los demás e intentas ayudarles, pero no te tienes primero en cuenta a ti, no esperes que nadie te vea, te tenga en cuenta o te ayude. Es más, hay que dejar que los demás experimenten sus problemas. Si intentas "solucionar" el problema de otro, le estás impidiendo aprender la lección que conlleva para él esa experiencia, y le estás presuponiendo inútil e incapaz para afrontarla. Y lo que es peor si cabe, te estás cargando con una sobredosis de la energía que activa ese aprendizaje a nivel colectivo, corriendo el riesgo de saturarte y de incluso llegar a enfermarte. En casos extremos, puede llegar a producirse un cáncer.

El servicio es otra cosa

El servicio es una parte fundamental del desarrollo personal, de **Vivir desde el Ser** en un **Mundo en Red**, pero difiere de la ayuda de la que he hablado antes porque es "desde" otro lugar, desde nuestro centro.

La única manera en la que realmente podemos ayudar a los demás es haciendo primero nuestro trabajo personal. Esto nos lleva a contactar con nuestro Ser y nuestros talentos. Desde allí, contribuyes al mundo con lo mejor de ti y de tu experiencia.

Por otro lado, la ayuda ha de prestarse de manera impersonal, a desconocidos, que te la piden, porque es tu profesión y proyecto de vida, es decir, tu servicio está basado en tus talentos. No a familiares y amigos, que son personas con las que tenemos relaciones muy condicionadas por roles y **Proyecciones**, y que además a menudo te piden cosas que no puedes dar. En otras palabras, si eres masajista, puedes ayudar a otros haciendo masajes como profesional que eres y con el talento que has descubierto en ti al conocerte mejor. Pero si una relación te pide consejo o que le acompañes a algún sitio, examina primero desde dónde quieres ayudarle y segundo, si dispones del tiempo y los recursos necesarios para hacerlo.

Centrado en ti

Eugenio Carutti es un astrólogo argentino, fundador de la escuela Casa XI, cuya interpretación me fascina porque se centra en la comprensión de las energías. Aunque resulte curioso y atractivo emplear la astrología para pronosticar acontecimientos, para mí es más importante entender qué hemos venido aquí a aprender y contribuir al mundo con nuestros talentos. La carta astral da muchas indicaciones de cómo puedes alcanzar esos aprendizajes, pero, en definitiva, lo importante no es el cómo, sino que cada vez conocer más sobre ti mismo. En este sentido, Carutti resume esta dinámica con la siguiente ecuación:

Energía = identidad + destino

El dibujo de la carta astral es un mandala. En el centro hay un punto que simboliza toda la energía que mueve nuestro Ser y que, como trasmite más información de la que podemos procesar, proyectamos el exceso sobre el escenario de nuestra vida. El escenario es la periferia del mandala, está conformado por los signos y las casas (áreas de la vida), y nos da información sobre cómo hemos de aprender a desplegar nuestra energía en los diferentes ámbitos. Luego están los planetas, que se sitúan sobre este escenario, y son los que indican el tipo de experiencias que podemos vivir en nuestro camino de desarrollo personal.

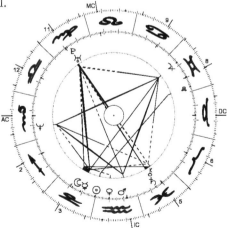

Un ejemplo del mandala: mi carta astral

Al principio, estas experiencias se viven como externas. Creemos que es el mundo el que nos las impone. Nos sentimos víctimas que se resisten a la realidad. Pero en verdad, nada, absolutamente nada, de lo que experimentamos en la vida no tiene que ver con uno. Somos creadores de nuestra realidad, aunque ésta sea tremendamente dolorosa e injusta. No quiere decir esto ni que seamos ignorantes, ni mucho menos masoquistas, sino sólo inconscientes. El determinismo existe mientras no vivamos desde el Ser.

Según la fórmula de Carutti, ponemos nuestro poder fuera porque desconocemos todo lo que somos. De esta manera la energía que mueve la consciencia produce destino, creamos desde la reacción y la resistencia lo contrario de lo que deseamos. Pero a medida que nos vamos conociendo, que nos alineamos con nuestro Ser, que nos empoderamos, creamos nuestra vida de manera proactiva, desde nuestra voluntad.

En otras palabras, a mayor identidad, menor destino. En la **Era del Ser** aprenderemos a empoderarnos, conociendo quiénes somos, convirtiéndonos en dueños y creadores de nuestras vidas. En esencia, tenemos que aprender a centrarnos, a vivir desde el centro de nosotros mismos.

En el siguiente gráfico, el punto representa nuestra esencia, nuestro Ser, mientras que el círculo es el límite de nuestro cuerpo. Nuestro foco ha de estar en nosotros mismos, de tal manera que, cuando algo nos sucede que nos descentra y nos desempodera, hemos de intentar recuperar nuestro centro volviendo el foco a nosotros. Por ejemplo, meditando, haciendo respiraciones profundas o deporte aeróbico, dedicándonos tiempo para algo placentero en soledad o analizando nuestras **Proyecciones**.

El problema, como ya mencioné antes, es que muchas veces por las creencias culturales y familiares que tenemos embebidas en nuestras células, nuestro foco está fuera, en las "X": en la familia, los amigos, el trabajo, los vecinos a través del qué-dirán, ... Siempre pensando en lo que los demás están pensando.

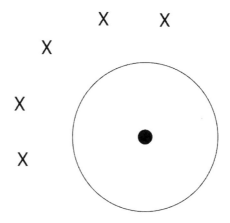

Nuestro foco está fuera de nosotros

Manipulando con el pensamiento

Esto no es ser buena persona, ni un buen cristiano, o judío, o musulmán, ... Pensar en lo que deben de estar pensando los demás no tiene nada que ver con la empatía ni con la bondad. Es pura manipulación. Meterte en la cabeza de otra persona, presuponiendo lo que debe de estar pensando para moldear tu conducta, tu respuesta, con el fin de lograr los resultados que tú deseas –por muy nobles que sean-, no es más que una forma de control. Es más, aunque puede que inconscientemente, los demás lo notan, sienten algo incómodo y raro en tu actitud, se inquietan, y a su vez responden intentando controlarte a ti, o directamente quitándote de en medio, ya sea apartándose físicamente o ignorándote. Como ves, así nadie gana, sino que todos pierden. Por lo tanto, no pienses en lo que piensen los demás.

Si he sido un poco dura con estas palabras, no lo siento, esa es la intención. Sé de lo que hablo. Durante años yo actué así, al igual que lo hacen millones de personas en este planeta, y con las mejores intenciones. Pero cuando me di cuenta del verdadero efecto, empecé a centrarme en mí y en dar lo mejor y más respetuoso de mí, sin importarme lo que los demás pensaban. Esto no sólo me ha aportado mucha paz, sino que ha mejorado enormemente mi relación con los demás.

Así que, por favor, no manipules a los demás, no te metas en la mente de nadie. Sé empático de verdad. Siente. Siente las emociones y palabras del otro. Meterte en mente ajena para responder te separa de ti y del otro. Siente el dolor ajeno, no intentes darle respuesta (ver *Escucha sensible*). Ponte en los pies de la persona que tienes delante, pero no entres en sus pensamientos. Además, recuerda, el otro no es más que tu mensajero (ver *Proyecciones*). Viene a darte la posibilidad de que aprendas algo más sobre ti. Nada más.

Niveles de experiencia y de aprendizaje

Como decía un poco más arriba, a veces la vida te tiene que dar un verdadero coscorrón para que te enteres. Insisto, no existe "putada cósmica" [perdón por la expresión, pero prefiero tener un estilo más directo que andarme con rodeos y explicaciones largas; además, el lenguaje del alma es corto y conciso]. Todo tiene su orden y su sentido.

A través de la astrología comprendemos que en cada momento o temporada hay una influencia energética determinada que incita a un aprendizaje. Estos aprendizajes, aunque comunes a toda la humanidad, cada uno los experimenta desde una polaridad y desde su nivel evolutivo, a través de las historias que vive, coherentes con el escenario que revela su carta astral.

Cuando somos conscientes, porque estamos alineados con nuestro Ser, y percibimos estas energías directamente, el proceso de aprendizaje es muy rápido. Básicamente, notas la influencia y te das cuenta del aprendizaje y del cambio de mentalidad que has de hacer, de las emociones a liberar, y de las memorias celulares a destapar y soltar. Consciencia + Gratitud + Soltar + foco en lo nuevo.

Pero a este nivel desafortunadamente no nos solemos enterar. La separación entre mente y cuerpo que tenemos no nos deja percibir sensaciones sutiles y ajenas. Entra la mente a crear sus películas y generar sus emociones. Empiezan los problemas emocionales: ansiedad, estrés, depresión, … Sin embargo, a menudo tampoco prestamos atención a estas señales, haciendo que las pruebas se activen a un nivel más denso: empezamos a tener problemas en nuestras relaciones y echamos las culpas a los demás de lo que sentimos… Como si el otro pudiera quitarte tu percepción…

Nuestra vida empieza a complicarse más por momentos, y nosotros seguimos con el foco fuera, sin mirarnos, sin conocernos. La energía que pasaba por allí para que aprendiésemos empieza a "hacer cuerpo", densificándose al no poder circular a través de nosotros y lograr su función de liberar memorias. En este punto es cuando aparecen las desgracias físicas: enfermedades, accidentes, pérdidas de cosas materiales… Estos eventos agitan nuestras vidas. Muchos en este punto sufren tal sacudida que empiezan a mirarse dentro. Otros no…

Te propongo que dejes de echar la culpa fuera y centrar la atención en ti. Observa la secuencia de tus patrones. Primero las emociones, luego los pensamientos, y finalmente las sensaciones, sin buscar responsables, ni tampoco culparte. Que los problemas que tengas no sean más que una señal de que has de mirar en ti, y tu cuerpo un mapa hacia el centro de tu Ser.

APRENDIENDO A SER PROACTIVOS

Como animales con sistema nervioso central que somos, el ser humano aprende repitiendo lo que le da placer y alejándose de lo que le resulta desagradable. Nuestra biología nos ha servido para sobrevivir, pero **Vivir desde el Ser** supone dar un paso más allá de dejarse arrastrar por ésta. Conocer cómo funcionamos nos ayuda a tomar decisiones conscientes, a ser libre de nuestros instintos y a aumentar nuestra autoestima.

Así que vamos a emprender otro viaje al pasado. Volvamos a la época de las cuevas. Imaginemos a uno de nuestros ancestros. Le llamaré Pedro. Iba un día tranquilamente andando relajado y distraído por el campo, cuando de repente un rugido le hace volver a estar presente. Esta primera respuesta se conoce como "de orientación", y sirve para empezar a analizar una situación. Es un pequeño estrés positivo que nos permite estar alertas, sin estar a la defensiva. Optimiza nuestra capacidad de respuesta.

Y así de optimizado iba Pedro, que rápidamente, casi de manera instantánea, en cuanto vio al león, pasó por su mente las cuatro respuestas que había aprendido ya, que tenía en su repertorio conductual. A saber: gritar fuerte, pegar puñetazos, saltar y hacer aspavientos, y pedir ayuda... Pero entre que estaba sólo y era obvio que nada de esto iba a servir, la amígdala entró en acción...

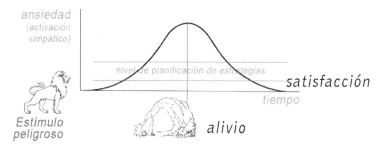

Gráfico del aprendizaje

Nuestro sistema nervioso central o autónomo está formado por dos ramas, una simpática y otra parasimpática. La primera, a pesar de lo que su nombre pudiera indicar, no es tan maja, y se activa cuando hay que ponerse en marcha. Algunos de los efectos que produce incluyen enviar sangre a los músculos para contraerlos con más fuerza, acelerar el corazón, dilatar las pupilas para una mayor visión periférica, y cortar los procesos digestivos. En cuanto a la rama parasimpática, cuando se activa nos permite estar relajados para poder comer, digerir, descansar y dormir, tener relaciones sexuales, etc. Ambas ramas se activan inversamente. Cuando se pone en marcha el simpático, el parasimpático baja, y viceversa. Es más, en situaciones de peligro, puede llegar un momento en el que la activación de aquel es tan alta que, antes de explotar –eso no puede pasar, ya que se trata de un mecanismo encargado de nuestra supervivencia–, entra el parasimpático para compensar. Éste es el motivo por el que a los niños hiperactivos se les da anfetaminas, o por lo que hacer deporte alivia el estrés; y es que después de la activación viene el agotamiento.

Cuando manda la amígdala, el cuerpo obedece

Volvamos a Pedro. Se encontraba en un buen apuro, con el león delate. No tenía recursos para enfrentarlo. Por ese motivo, su sistema nervioso seguía aumentando la activación. En el gráfico del aprendizaje represento al león como el estímulo peligroso. Hoy en día podemos sustituirle por cualquier situación que uno no sepa manejar, incluyendo y en especial, conflictos emocionales, generalmente derivados de las relaciones con los demás. Cuando no contamos con los recursos para una buena gestión emocional, intentamos ajustarnos apartando nuestros sentimientos, haciendo como que no existen, tragando nuestra rabia, miedo, frustración, etc. Pero las emociones no desaparecen. Estos son nuestros leones.

Decía que Pedro tuvo un momento breve para buscar una solución entre sus recursos. Este proceso es casi automático. Los recursos están grabados, como si fueran programas, en nuestro cerebelo, que es aquella parte de nuestro cerebro encargada de descongestionar el resto, facilitando los procesos automáticos (como conducir o lavarse los dientes); es donde estos se almacenan. Conforme aumenta la activación del simpático, se activa el "buscador de programas" del cerebelo, un proceso que involucra también al córtex frontal, que es la parte que usamos para razonar. Pero si no se encuentra una respuesta que sirva, si no hay programa adecuado, la activación del sistema simpático sigue aumentando y atraviesa el umbral superior del "nivel de planificación de estrategias". Es en este momento en el que la amígdala toma el mando.

Resulta que esta pequeña glándula, asentada justo en el centro del cerebro, lleva con nosotros desde que éramos animalitos muy simples. ¡Hasta los reptiles la tienen! De hecho, la parte central de nuestro cerebro se conoce también como cerebro reptiliano porque funciona igual que el de las lagartijas y serpientes. Sirve sólo para la supervivencia. Y lo hace muy bien.

Pues bien, la amígdala, cuya función principal es el procesamiento y almacenamiento de reacciones emocionales, una vez que la activación sobrepasa el "nivel de planificación de estrategias", envía la orden al córtex, nuestra parte pensante, de desconectarse. Ahora manda ella. Ya está bien de razonar; está claro que Pedro no contaba con recursos que le garanticen enfrentar la situación con éxito. Así la amígdala, que es muy simple pero muy eficaz, va y le da una única orden al cuerpo: ¡HUIR!

No veas que bien funciona el cuerpo cuando huye sin que le interrumpan los pensamientos… Pedro corre, salta, trepa, evita obstáculos, con una agilidad felina…, hasta que alcanza la seguridad de su cueva. Pero no le pidas que se dé cuenta de lo bellas que están las flores del campo o que es fije en el dibujo de las nubes al atardecer… En modo huida uno sólo ve aquello relevante para su supervivencia. Es por eso que cuando estamos estresados, con el simpático activándonos por encima del nivel de planificación de estrategias, todo lo que vemos es negativo.

Para ver las cosas bellas, para sentirse conectado a los demás y la naturaleza, uno ha de estar relajado, con el sistema parasimpático activado y el simpático desactivado. Cuando uno está estresado, huyendo de los problemas porque no sabe cómo enfrentarlos, gracias a esta respuesta de supervivencia, se desconecta de todo y de todo el mundo, y sólo ve los peligros. Es por esto que las personas con el sistema nervioso muy activado, estresadas, dan la impresión de ser egoístas, de que no escuchan, de que sólo piensan en ellos, y siempre están criticando. No lo pueden evitar.

Pero de la misma manera. Pensar en positivo o intentar encontrar una interpretación mejor de cada situación ayuda a disminuir el estrés y, a la larga, aumenta la autoestima y empodera, al llevar a la satisfacción (como veremos luego).

El menor de los problemas

Por desgracia, después de miles de años huyendo de nuestros verdaderos problemas, de nuestros auténticos miedos (ver *Los Miedos del Ego*), metiéndonos en la cueva de la cueva, de la cueva…, alejándonos de nuestro centro, ni siquiera sabemos cuál es nuestro problema real y no somos conscientes de que estamos huyendo de un montón de cosas en nuestras vidas. Así vamos de estresados y así de difícil es relacionarse con los demás…

En otras palabras, ya no huimos de leones, y nuestra vida no corre peligro, y sin embargo reaccionamos de la misma manera que Pedro ante su depredador. Huimos cuando no sabemos decirle a alguien lo que sentimos y hablamos mal de él a sus espaldas. Huimos cuando no nos atrevemos a decirle a nuestro jefe que lo que pide no es justo, y nos desahogamos en el bar, viendo el partido y bebiendo. Huimos cuando mentimos por no atrevernos a decir la verdad. Huimos cuando gritamos o cuando pegamos a alguien. Huimos cuando nos drogamos, cuando nos enganchamos a las redes sociales, cuando vemos una película, cuando hacemos deporte como si fuera una competición, cuando nos pegamos una bacanal, cuando sufrimos un ataque de pánico, cuando discutimos, cuando cotilleamos, cuando criticamos a los políticos… ¡Huimos la mayor parte del tiempo! Cuando reaccionamos ante la vida, estamos huyendo. Por eso, para **Vivir desde el Ser**, tenemos que aprender a reconocer primero cuando huimos, y a enfrentar después nuestro verdadero problema, nuestro miedo a la separación. Hemos de aprender a ser proactivos y no reactivos (ver *Aprendiendo a ser proactivos*).

Como iba diciendo, nos enfocamos siempre en el menor de nuestros problemas. ¿Por qué? Simplemente porque si no encontramos respuesta al primero, porque no está en nuestro repertorio consciente, huimos por defecto. No hay control. No lo elegimos. Y evitamos volver a enfrentarnos. No vaya a ser que nos coma el león. Tarde o temprano, esa falta de habilidad volverá a ponerse en evidencia, aunque generalmente ante una dificultad de menor calado emocional —se nos da muy bien evitar lo que no sabemos enfrentar-. Si tampoco sabemos cómo manejar ésta, nuestra atención irá a otro asunto similar, aunque éste más pequeño y "manejable". Y nos quedamos enfrascados con aquel problema lo suficientemente pequeño como para darnos cierta ilusión de control. Por eso nos encontramos tropezando una y otra vez sobre la misma piedra.

Un ejemplo. Una mujer encadena relaciones en las que no se siente satisfecha con la atención de su pareja, quien termina por decepcionarla cuando iban a hacer planes, reaccionando sin hacerse cargo de la situación y huyendo. En cada relación ella revive el mismo conflicto personal, las mismas emociones, aunque aparentemente sea con personas muy diferentes.

La forma en la que trabajo esto en consulta es empezar con el problema más reciente, analizar la secuencia conductual y emocional que se desencadena (cada emoción es una huida más adentro en la cueva), y luego ir hacia atrás en el tiempo para ver en qué ocasiones se ha repetido esa misma serie de sentimientos y actuaciones. Al final del camino nos encontraremos siempre con nuestra relación con los padres, con frustraciones vividas con uno de los progenitores o con los dos, que no pudieron ser expresadas.

En el ejemplo anterior, una secuencia era de, ante la expectativa de hacer un viaje juntos, ilusión y alegría + tras prepararlo todo hay un cambio de planes + inseguridad y sentimiento de abandono + se desborda llorando + la pareja no le hace caso y se va de casa. Esta secuencia la rastreamos hasta cuando tenía ocho años y su padre le había prometido hacer un viaje juntos, cancelando el plan en el último momento. En el fondo a su progenitor le venía muy grande hacer el papel de padre. Ella nunca pudo expresar su frustración y su miedo, por lo que la Vida, que es perfecta, le traía una y otra vez situaciones similares para darle la oportunidad de cerrar ese círculo, sin enfrentarse al padre. Ella se sentía siempre atraída por hombres como su padre, que reaccionaban de la misma manera, para así poder cerrar ese círculo.

Cuando huimos de nuestro problema principal, el miedo a ser abandonados, rechazados o a perder el control, creamos situaciones, problemas, que asemejan la secuencia del original, y que son lo suficientemente asequibles como para permitirnos tener la ilusión de control.

La chica del ejemplo creía que el problema era de sus parejas, pero fue muy revelador y liberador para ella descubrir que el conflicto real era con su padre.

Entrando en la cueva: el alivio

Al pobre Pedro le dejamos trepando hacia su cueva. Después de correr como un poseso, huyendo del león, alcanzó su refugio, escaló la roca con agilidad y se metió en su caverna, donde el animal jamás le alcanzaría… En el momento en que se paró y sabía que estaba a salvo de aquel peligro a su vida, le embargó una gran sensación de *alivio.*

El **alivio** es una sensación, y como tal está provocada por hormonas. Es una reacción animal, y surge después de haber estado sometido a mucho estrés. En realidad, se trata de una disminución rápida de la activación del sistema simpático, como resultado de haber distanciado una amenaza.

El problema para nosotros es que el alivio está diseñado para funcionar en casos extremos, en los que nuestra vida corre peligro, pero resulta que debido a la habilidad de nuestra mente para separarse de lo que siente, y nuestra dificultad para percibir sin reaccionar, vamos por la vida, la mayor parte del tiempo, dando respuestas de alivio y sin ser consciente de ellas. Creemos que estamos en control de lo que hacemos, pero nada hay más lejos de la verdad.

El alivio es muy útil porque permite aprender reacciones con un solo enfrentamiento. ¿Para qué andarse tanteando si te puede comer el león? Pero la desventaja es que la reacción que condiciona es siempre una huida -el córtex está desconectado-, y es siempre involuntaria. Es decir, no tenemos el control.

Resumiendo, si ante una situación peligrosa no tenemos una respuesta adecuada, que nos garantice nuestra supervivencia, la amígdala desconecta el córtex y huimos, hasta que nos ponemos a salvo y sentimos alivio. De esta manera se condiciona y establece un circuito de conducta (acción o pensamiento) automática. No hay control.

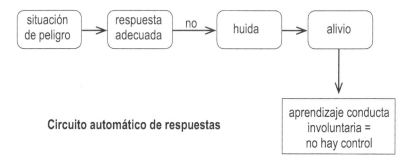

Circuito automático de respuestas

La culpa

Creemos que elegimos lo que hacemos, pero generalmente no es así. La mayoría de nuestras reacciones están condicionadas. Si es algo socialmente aceptable, como criticar, hacer deporte o beber cervezas en un bar, ni nos cuestionamos nuestras conductas. Pero si se trata de algo inaceptable, como pegar, tomar drogas o mentir, entonces nos sentimos culpables. Y, sin embargo, si ya es "malo" o poco consciente reaccionar por alivio, es mucho peor sentir culpa.

La culpa nos genera una vuelta más de tuerca, de conducta (en la forma de pensamiento) condicionada e involuntaria, enredando aún más la madeja. Y lo que es peor, nos lleva a actuar más de manera involuntaria (buscando más alivio), y por tanto a sentir más culpa. Por desgracia, es una reacción muy instaurada en nuestra cultura occidental, inculcada por la religión. Tanto es así que muchas veces ¡no somos si quiera conscientes de que la sentimos!

Pero con la culpa es imposible hacer un trabajo personal profundo. Con la culpa no puedes conectar con tu cuerpo y sus sensaciones, no puede haber una verdadera consciencia, es imposible empoderarse y alinearse con el Ser. Romper el **Techo del Ego** (ver *La culpa, otra vez*) tiene mucho que ver con erradicar la culpa. Mientras haya culpa, no hay perdón. Mientras no te perdonas, buscas que te perdonen, ya sea directamente o indirectamente (echando tu culpa fuera, buscando un culpable mayor). Pero si de otro depende la expiación de tus pecados, no posees tu poder personal. En una ilusión de control, y en la búsqueda del menor de los problemas, la culpa no admitida se echa fuera.

Encontramos a muchas personas que hacen su trabajo personal con mucha dedicación y lo mejor que pueden, pero que ponen el foco fuera y critican a otros, o se quejan de las condiciones de trabajo, o no toleran el gobierno o el vecino del 4º, o creen en extraterrestres que experimentan con nosotros, o poderosos que nos manipulan.

Creamos nuestra realidad para poder tener experiencias duales y resolver polaridades. Si lo creemos, lo creamos. Pero mientras estemos polarizados, no estaremos alineados con nuestro Ser. Es una elección.

Dentro de la cueva: sufrimiento y descontrol

Volvamos a Pedro, ahora escondido en su cueva. El pobre sigue con el susto en el cuerpo y no se atreve a salir. Cada vez se fía menos de lo que puede encontrar si sale a la sabana. Está a la defensiva todo el rato, y en cuanto asoma la cabeza al exterior, por si acaso, se dedica a tirar lanzas a cualquier cosa que se mueve, labrándose más de un enemigo con su actitud [¿suena esto de algo?, cuando estamos estresados, mostramos nuestra cara más primitiva y estamos siempre a la defensiva]. Es un sinvivir. Pedro se siente mal, ansioso, inútil, impotente. No tiene el control sobre su vida y está desconectado de su Ser.

Antes del susto fluía, se sentía bien consigo mismo y su instinto era bueno. Era capaz de intuir los peligros y reaccionar con agilidad. Se sentía invulnerable. Estaba conectado a su Ser, pero desde la inocencia, sin experiencia. Ahora se siente como una piltrafa; no vale para nada.

Hoy en día no tenemos leones que nos amenacen, pero reaccionamos igual que Pedro cada vez que nos enfrentamos a una situación ante la que no tenemos respuesta aprendida. Si me voy a tirar con una bicicleta de montaña por una trialera, pero aún no he desarrollado suficiente técnica y me asusto, quizá elija no enfrentar la situación y baje andando. Esta respuesta no es una huida, porque tomo la decisión de manera ponderada. Sin embargo, si me dejo presionar por los amigos, y por vergüenza me lanzo, esta respuesta no es un enfrentamiento, sino una huida, ya que cuando consiga superar los obstáculos, sentiré un gran alivio por el tortazo que no me he pegado y el ridículo que no he hecho.

Como vemos, el problema lo tenemos con las situaciones sociales (ver *Miedos del Ego*), ya que, a pesar de ser relativamente ignorantes en el tema de las relaciones, suponemos saber lo que hay que hacer, y cómo manejar cada enfrentamiento con el otro. Sin embargo, no somos todos soldados robotizados, y cada uno ve la vida a su manera, no acertamos en pronosticar al otro y tememos su respuesta, por lo que a la mínima se activa nuestro miedo de separación, y salimos huyendo… Aunque como lo normal no es echar a correr, huimos con el pensamiento (interpretando la actitud o respuesta del otro), con la palabra (soltando algún comentario o improperio) o la conducta (gritando, pegando, con enfado, llorando, dando la espalda, etc.)

El problema añadido que tenemos frente a las relaciones sociales es la expectativa de que sabemos qué hacer –cuando no es cierto-, y ésta nos genera culpa (que es más fácil que admitir que sientes miedo ante una persona a la que supuestamente amas, o ante un enemigo que debes derrotar). Como ya hemos visto, la culpa nos separa aún más de nuestro cuerpo y nuestro Ser.

Ámate, a ti y a tu dolor

Insisto, la culpa sólo sirve para separarnos de nosotros mismos y alimentar al Ego. Es lo primero que hay que comprender para poder **Vivir desde el Ser**, para poder estar centrado. Si has hecho algo "mal", no te tortures, acepta que es que aún no has aprendido a hacerlo mejor.

Si uno tiene tendencia al perfeccionismo, a la hora de hacer un trabajo personal puede ser un tanto masoquista. Rápidamente saca la fusta de la rabia contra uno mismo y se flagela con fruición, como si con el castigo fuera más merecedor de ser perdonando y de recuperar su conexión consigo mismo. Créeme, sé de lo que hablo, y tengo claro que esta actitud no sirve para mucho.

Seguro que has oído infinidad de veces aquello de "ámate primero a ti mismo". En el capítulo anterior hablé de la **Era del Comercio**, caracterizada por energía masculina, y en la que nos separamos de nosotros mismos. El miedo y la culpa te separan de tu Ser. Sin embargo, empezamos una era de energía femenina, de *unir, crear y sentir*. Aprender a **Vivir desde el Ser** se hace desde la energía femenina, y no desde la masculina. Centrarte requiere una integración de quién eres, una recopilación de todos los trocitos de ti esparcidos por el mundo a través de tus **Proyecciones**. Todo lo que implica separación (el miedo, la culpa, el rechazo, poner el poder fuera, etc.) te aleja de ti. Todo lo que implica unión, te centra.

Por eso para aprender a **Vivir desde el Ser** has de desechar tu culpa, enfrentarte con amor a tu miedo, y descubrirte quién eres (ver *El Techo del Ego*). Cuando te pilles fustigándote, ríete de ti mismo y luego sonríete con amor. Cuando te sientas frustrado, tómalo como una señal de que necesitas más tiempo y que es momento de priorizar el cuidado personal y la conexión con tu cuerpo. Así que tómate un baño de sales, date un paseo por la naturaleza, tómate una infusión en una bonita terraza con alguna buena amistad, y da muchos abrazos.

Te propongo un ejercicio para aprender a amarte primero (aunque el último capítulo lo dedicaré a consejos y prácticas, me adelanto aquí con éste). ¿Te duele algo ahora? ¿Tienes un dolor emocional? ¿Has tenido algún dolor recientemente que recuerdes? Puede ser un dolor de espalda, de cabeza, de muelas, de piernas, … El que sea… Aunque sea pequeñito, aunque lo tengas ya muy visto, aunque estés acostumbrado a sufrirlo… Observa esa molestia.

Normalmente nos apresuramos a erradicar las dolencias rápidamente o con medios artificiales (medicamentos), o las ignoramos como si no existieran. Se nos da muy mal convivir con el malestar y el dolor, porque nos asusta, no sabemos manejarlo, y creemos inconscientemente que es señal de algo peor (que somos vulnerables a un ataque).

Si practicas deporte con cierta intensidad, has aprendido a sentir dolor sin sufrir, sin creer que es señal de algo peor, y lo puedes sostener, ¡e incluso disfrutar! Ésta es la idea (sin caer en el masoquismo). Así que mi propuesta es, si te duele algo, pon tu atención en esa zona, dialoga con ella (esto es más complicado de lo que parece, y podrás observar cómo la mente quiere distraerse, huir, a toda costa), reconócela como una parte de ti. No desees o esperes que el dolor se vaya (esto también es huida y separación), sino que intenta sentir amor por esa parte de tu cuerpo. Intégralo. Es parte de ti, y una parte muy valiosa. Puedes visualizar energía que fluye a través de aquello que te duele, que sale de tu cuerpo y libera tus memorias, para facilitar el proceso.

Nuestras células albergan nuestras memorias. Cuando hay un dolor (físico o emocional), una molestia o una enfermedad, detrás hay un mensaje para ti. Ese mensaje te puede llegar, no tanto de forma racional (recuerda que lo racional separa), sino a través del sentir y de manera inconsciente (lo normal es que ni te enteres, pero confía en que así es). Así que déjate permear.

"Amar tu dolor te ayuda a integrar quién eres, abrir tus memorias, y alinearte con tu Ser".

La luz al final de la cueva

Volvamos a Pedro. Su vida era una tortura a causa de sus miedos, que ya se habían generalizado tanto, que sus compañeros cavernícolas se sentían hasta incómodos a su lado de tan alterado que estaba. Pobre Pedro, se estaba quedando ya hasta sin amigos. Le intentaban ayudar, pero como estaba tan desconectado de sí mismo, se sentía separado de ellos. Se sentía solo, sin darse cuenta que esa soledad no es más que el fruto de la acción de la amígdala, que desconectó el córtex – dificultando su habilidad para comunicarse con los demás-, y activó el cerebro reptiliano –introduciéndole en modo de supervivencia-.

¿Te sientes sólo, raro, diferente, separado, bicho raro…? No te preocupes. Es sólo que tu amígdala ha conectado el modo supervivencia. En realidad, te está dando una señal muy valiosa –pero mira que se nos da mal ver lo obvio-: dice que te fijes en ti, y sólo en ti; ¡que te ames a ti mismo primero! Y que tienes un problema que solucionar.

En un momento de recogimiento, sentado sólo frente al fuego, Pedro tuvo una revelación. Se dio cuenta de que algo tenía que hacer y que necesitaba pedir ayuda de los demás. Como él era incapaz de salir fuera por su miedo, entendió que tenía que planificar una estrategia nueva. Pidió consejo, pensó un rato y llegó a la conclusión de que lo mejor era ir a por el león, tenderle una trampa y aprovechar que estuviera malherido para darle muerte, para lo cual ideó un plan. Así, con miedo, pero con un nuevo recurso, Pedro reunió a los hombres más fuertes de la tribu y juntos cavaron una fosa, que cubrieron con hojas un trozo de apetecible carne para el león.

El corazón de Pedro latía fuerte, pero armado con su nueva estrategia tenía una habilidad más que poner en práctica, y estaba a punto de descubrir su eficacia. Efectivamente el felino picó el cebo, cayó en la trampa, y en ese momento se acercaron con piedras los hombres de la tribu y Pedro, quien le dio la estocada definitiva. Nuestro protagonista se sentía exultante, lleno de sí mismo por haber enfrentado y vencido su miedo. Sentía *satisfacción*.

La **satisfacción** se produce cuando observamos que una estrategia nueva que hemos puesto en práctica ha funcionado, ha servido para abordar y superar aquello que nos activó nuestro miedo. La satisfacción se produce cuando el sistema nervioso se activa, pero no tanto como para que la amígdala desconecte el córtex, porque hay un nuevo recurso en el repertorio conductual. Entonces, el nivel de excitación del simpático no sobrepasa el "nivel de planificación de estrategias". Es lo que se llama el estrés positivo, que nos permite pensar y planificar con eficacia y agilidad, así como poner en práctica lo aprendido.

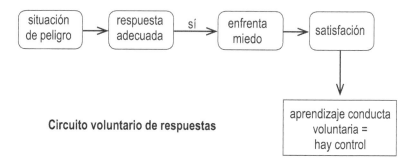

Circuito voluntario de respuestas

Cuando sentimos satisfacción, reforzamos el aprendizaje de una conducta o pensamiento voluntario y que está bajo nuestro control. Al contrario que con el alivio, la satisfacción es indicador de que estamos en control de nuestras acciones y pensamientos y, por tanto, **favorece la autoestima.**

Resumiendo, cuando no encontramos respuesta para enfrentar una situación, nuestro cerebro primitivo toma el mando, desconecta el cerebro pensante y manda la orden de huir, ya que está en juego nuestra supervivencia (o eso presupone nuestra parte más instintiva cuando tenemos delante un peligro y no encontramos una solución). El cuerpo entonces se pone a funcionar a tope, con el corazón bombeando sangre a todos los músculos y cortando procesos digestivos; brazos, espalda y piernas se tensan, y si no echamos a correr (porque no hay león delante), la mente es la que se dispara, entrando en la cueva de la cueva, de la cueva, con obsesiones, preocupaciones y dispersiones... (si has sufrido alguna vez ataques de pánico, entenderás ahora mejor lo que te sucede). Toda esta activación es muy útil para correr, pero muy contraproducente si estás tranquilamente en casa o en cualquier lugar cerrado.

Esta activación desmedida termina inevitablemente con la sensación de alivio, condicionando así la respuesta dada ante el estímulo que provocó la activación. De esta manera, con un solo ensayo, el cuerpo aprende una reacción crucial para su supervivencia. Pero esta conducta es automática, escapa nuestro control consciente, es reactiva, involuntaria. No lo hacemos a propósito, sino que reaccionamos así porque sentimos que, si no lo hacemos, nos vamos a morir.

Ahora, sé sincero contigo mismo. Obsérvate. Fíjate en qué conducta haces de manera automática. Por ejemplo, fumar, cotillear, mentir, gritar, criticar (por nombrar alguna de las más típicas). Y ahora intenta no hacerla cuando te surge la necesidad. Intenta resistirte. Observarás que la ansiedad sube más y que tienes una sensación de que si no lo haces, algo malo te va a pasar. Amplifica las sensaciones con la intención para verlo con más claridad. Te costará concentrarte. Tu mente querrá distraerse a toda costa. Ahora intenta tú engañarla, estableciendo una "comunicación" con tus sensaciones, por ejemplo, preguntándoles cómo son, con qué intensidad las sientes, y cuánta ansiedad de produce. Si lo logras, observarás que la ansiedad baja sola, las sensaciones desaparecen y sentirás la satisfacción de haber logrado superar tus respuestas automáticas. Amplifica esta sensación también para que se fije bien en el cuerpo.

Cuando nos hacemos conscientes de nuestras conductas automáticas, no debemos caer en la trampa de la culpa, sino aprender a observarlas. Podemos cambiar la respuesta, pero antes hemos de introducir en frío (es decir, en un momento de recogimiento y contemplación) un nuevo programa en el disco duro de nuestro cerebro. ¿Cómo se introduce este nuevo *software*? Pensando y planificando una nueva estrategia, preguntando, comparando, en definitiva, aprendiendo algo nuevo. Y luego poniendo en práctica lo aprendido, sin demorar mucho, y comprobando que la nueva estrategia es útil.

De nada sirve la teoría sin práctica. Inútil es aprender sin aplicar los nuevos conocimientos. Es más, llenar la cabeza de contenidos y no experimentar lleva a respuestas de alivio, y por tanto a aumentar la sensación de descontrol y finalmente a bajar la autoestima. Es por esto que opino que la enseñanza superior en un **Mundo en Red** nada tendrá que ver con las universidades de hoy.

Si quieres aumentar tu autoestima, aprende formas nuevas de hacer las cosas, ponlo en práctica y comprueba el resultado. De paso, cuando sientas la satisfacción de las cosas bien hechas o del éxito, te invito a aumentar la sensación con la intención para que se fije bien en el cuerpo. Si conviertes esto en hábito, tu autoestima y tu sensación de empoderamiento aumentarán, da igual ante qué situación lo hagas (estudios, problemas, vicios, creencias, etc.).

La luz al final de la cueva es que cuando nos hacemos conscientes de lo inconscientes que somos, a partir de ese momento, podemos empezar a ser dueños de nosotros mismos. Empoderarse es aprender a elegir cómo actuar voluntariamente.

Ahora que hemos visto la evolución de la sociedad humana en los últimos diez mil años, y hemos aprendido cómo funciona la mente y cómo reaccionamos automáticamente, es decir, la historia y la biología que nos condiciona, pasaremos a abordar el Ego, y el techo que nos dificulta el salto de la consciencia y alinearnos con nuestro Ser.

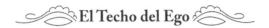 El Techo del Ego

Últimamente el Ego tiene cada vez peor fama, ¡y pensar que cuando Freud empezó a hablar de él como parte de la estructura psíquica, los hombres decimonónicos estaban obligados a demostrar que tenían y mucho, para ser considerados fuertes, mientras que delatar cualquier ápice de vulnerabilidad era inconcebible! Se dejaban fornidas y puntiagudas barbas para marcar fuertes mandíbulas que no todos poseían. El miedo y la frustración por no estar a la altura se desahogaban dentro de casa de las maneras más violentas y abusivas. Para mujeres, hijas y niños, el amor y la protección iba a menudo unido al abuso, la ira y la violencia. Estas exigencias sociales tan brutales encorsetaron las almas con una rígida represión, y fueron reflejadas en esos imposiblemente ceñidos corsés que vestían las mujeres.

La opresión llevó a una polarización extrema, que a su vez estalló en la I Guerra Mundial; después se intentó liberar la tensión que aún quedaba durante los locos años 20 pero sin éxito, volvió a estallar con la II Guerra Mundial, y permaneció hirviendo el poso del miedo y el odio bajo la superficie durante la Guerra Fría. Entre medias, los años 50 fueron un aséptico intento de negar la crueldad y los traumas sufridos por toda una generación. Como si comprando casas, coches y electrodomésticos nuevos, brillantes y bonitos, se pudiera ocultar el horror vivido y no expresado.

Es cierto que ha habido y hay por todo el mundo miles de conflictos armados, pero la escala de las Guerras Mundiales y sus consecuencias psicológicas han creado, si cabe, un mayor impacto sobre la consciencia colectiva del planeta.

El Rock & Roll de los Beatles y todo el movimiento social que de allí surgió, entre ellos los hippies y la Nueva Era, fueron, desde este punto de vista, un tercer intento de polarizar la tensión a través de la paz, el amor y la diversión. Pero al igual que sucedió con los años 50, correr un tupido velo sobre el trauma de generaciones anteriores derivó en un consumismo que estalló en 2008 con la crisis financiera global, que en cierta manera ha sido la III Guerra Mundial por sus movimientos sociales y emocionales (muchas personas lo perdieron todo, poblaciones han tenido que migrar, abandonos, represiones, robos, miedo por la seguridad y supervivencia, la posterior lenta reconstrucción…), aunque esta vez las batallas se han librado en las bolsas financieras mundiales, en el espacio virtual de internet, en vez de en las trincheras.

Las guerras sirven para desahogar tensiones y testosterona (al igual que el fútbol), y disminuyen la población masculina. Momentáneamente, las mujeres son más y por tanto su energía más patente. Si lo vemos desde el punto de vista de las Eras de la Humanidad que vimos en el primer capítulo, durante el último siglo de la **Era del Comercio** (regido por energía masculina), hemos visto cómo se ha producido un exceso de energía masculina, polarizado en las grandes guerras, que a su vez ha tenido como respuesta un auge de la energía femenina, con las sufragistas a finales del XIX, la incorporación de las mujeres a las fuerzas laborales, con la liberación sexual gracias a la "píldora", y con la generalización del divorcio.

Biológicamente, después de una guerra, las mujeres conciben más varones. Pero esta vez ha sido diferente. Quizá por el descenso de la natalidad y el envejecimiento de la población no han nacido más niños, sumado al fútbol como gran canalizador de las energías masculinas, estos dos factores juntos han liberado a la mujer del yugo biológico de la necesidad de reproducir más varones, y así definitivamente permitido el cambio hacia la energía femenina y la **Era del Ser**.

Al final de cada Era se produce un exceso de la energía que la rige, precipitando así la basculación a la contraria. De hecho, la revolución agrícola del neolítico favoreció el crecimiento demográfico de la Humanidad, en un exceso de energía creativa femenina, y es esto lo que finalmente llevó a la necesidad de expansión de las tribus, el trueque, la conquista de otras tierras y la creación de ciudades amuralladas que iniciaron la **Era del Comercio**.

CINCO MIL AÑOS GESTANDO EL EGO

Si el neolítico nos sirvió para crear consciencia de comunidad, la **Era del Comercio** nos ha servido para crear el Ego. Siglos de guerras y horrores por todo el mundo han hecho posible que nos sintamos separados de los demás, socavando nuestro sentido de pertenencia, aumentando nuestra sensación de soledad, estimulando nuestra necesidad de defendernos, para poder crear así una identidad separada. La consciencia del Yo individual, del Ego, ha sido posible gracias a estos últimos cinco mil años de energía masculina separadora.

Aunque esté a veces mal visto, el Ego no es malo en sí mismo, ya que es necesario. Es como una especie de interfaz para con el mundo material que nos permite comunicar e intercambiar con los demás. Una persona con un Ego grande puede ser alguien cuyo mensaje llegue a muchas más personas; más que alguien con una personalidad poco definida. El problema no es tener mucho Ego, sino identificarse en exceso con él porque aún está inmaduro.

Tradicionalmente, la astrología considera que la Luna simbolizaba la madre y las emociones, mientras que el Sol nos hablaba del Yo. Pero las corrientes modernas lo ven de otra manera. El satélite de la Tierra es quien representa al Ego, precisamente por su identificación con el mundo emocional, con los hábitos, con el pasado, con lo que no cuestionamos. Mientras que hemos de aspirar a expresarnos desde nuestra esencia superior, nuestro Ser, nuestro máximo potencial simbolizado por el Sol. Parecen tendencias contradictorias, pero no lo son, porque bajo ambas perspectivas se entiende que el movimiento del ser humano individual implica desidentificarse de lo que trae innato, dejar de ser reactivo, para ir mostrando lo mejor de uno mismo y ser proactivo.

El astrólogo **Eugenio Carutti** cuenta que el nivel de consciencia de la Humanidad está entre Cáncer (regido por la Luna) y Leo (regido por el Sol). En otras palabras, estamos aprendiendo a dejar de ser reactivos para ser proactivos y empoderarnos, y de esta manera descubrir nuestros talentos y dar desde lo mejor de nosotros mismos a la Humanidad, para el bien común (el servicio está simbolizado por el siguiente signo, Virgo, y su regente Mercurio, el comunicador), en Un **Mundo en Red**.

Para esto necesitamos al Ego, pero un Ego maduro, bien formado y eficaz comunicador e intercambiador. Desde este punto de vista, podemos decir que el Ego (Luna), requiere de un proceso de maduración para facilitar la expresión del Ser (Sol) y servir de interfaz comunicadora. Al igual que nacemos en un hogar donde recibimos cuidados y educación hasta que somos mayores, el Ego (Luna) se cuece en el horno de Cáncer (signo que rige la casa IV del hogar, la familia y las emociones). Cuando sale al mundo, si aún no está en su punto, el Ser no podrá expresarse, y el Ego tendrá que seguir cocinándose un poco más, aprendiendo sobre sí mismo a través de la introspección y las pruebas que le pone la vida (ver *La estructura del Ego)*.

¿Y cuándo está bien cocinado un Ego? Un Ego inmaduro pide, exige, quiere que le den, está aún en modo receptivo, como el bebé. Por eso esperamos que la vida nos traiga lo que deseamos, que los demás se den cuentan de lo que valemos, o ser amados por alguien especial. Pero mientras estés en modo "dame", aún te quedarán unos minutos de cocción mediante las lecciones de la vida.

El Ego bondadoso y el Ego espiritual

Hay que estar muy alerta, porque el Ego infantil puede ser muy engañoso. Podemos dedicarnos a hacer nuestro trabajo interior, e incluso a ayudar a los demás, pero como quede un resquicio del modo "dame", toparemos con el **Techo del Ego** (ver *Construyendo el Techo del Ego*), y vuelta al horno a cocernos. Hay personas muy buenas y generosas, que sólo piensan en ayudar a los demás, pero lejos de haberse desidentificado del Ego y ser realmente libres para expresarse con la energía ilimitada de su Ser, muy en el fondo, en un pequeño resquicio de su personalidad, desean ser reconocidas y rescatadas por "mamá" o "papá".

Luego está el Ego espiritual, más difícil aún de detectar a causa de los mensajes de la cultura de la Nueva Era que rezan, "todos somos uno", "hemos de volver al origen", o "somos seres de luz". Estos dictados regresivos aluden directamente al horno canceriano, anclando el foco en un estado lunar, haciendo albergar la creencia de que seremos reconocidos como únicos, seremos salvados, o el Universo nos dará nuestros talentos mágicos y especiales con los que podremos cuidar y sanar a los demás. Pero así solo habitaremos en estado "dame" y pondremos el poder fuera. El batacazo contra el **Techo del Ego** será tremendo.

En el estado de consciencia actual de la Humanidad, en el que recién empezamos a individualizarnos, el verdadero sentido de "todos somos uno" escapa totalmente nuestra capacidad de comprensión. Si miramos el mandala de la carta astral, estamos más cerca de Piscis (la Unicidad) hacia atrás –a sólo 5 signos-, por lo tanto, a vivir su energía como el regreso al útero materno, que hacia adelante -7 signos-, que sería el encuentro con la "Unidad divina", la verdadera comprensión de que todo lo que me rodea es un reflejo de mí, de que no hay separación entre quién soy y todas las expresiones del Universo. Por eso, cualquier intento de conectar con la Unidad es ilusorio, y es en realidad un paso regresivo.

Para **Vivir desde el Ser** necesitamos un Ego maduro, bien hecho; un Ego que nos sirve y sirve a los demás, pero con el que no nos identificamos; un Ego fruto del conocimiento personal, que ya no pide ni espera, sino que pone lo mejor de sí al servicio de los demás. El Ego completo es el resultado de la integración de toda la información que albergan las memorias celulares, en otras palabras, expresa los talentos que tenemos para ofrecer al mundo. El Ego que permite que el Ser irradie no es más que un vehículo de información y habilidades rescatadas tras reconocer nuestras sombras.

El camino para madurar el Ego e integrar quién somos para irradiar desde el Ser necesariamente ha de pasar por el reconocimiento y entendimiento de los **Miedos del Ego**, la superación de la culpa, el reconocimiento de nuestras sombras y talentos mediante las **Proyecciones**, y la integración de nuestro poder personal para atravesar el **Techo del Ego** (ver el *Manual para Vivir desde el Ser*).

LOS MIEDOS DEL EGO

Somos animales gregarios, y como tales vivir en grupo favorece y facilita nuestra existencia. Da igual que se trate de ñus, elefantes, chimpancés o seres humanos, son tres las características que garantizan la supervivencia de la manada, y son tres las necesidades de los miembros de un grupo que favorecen la cohesión de éste. Estos tres rasgos esenciales son los que en el neolítico nos permitieron construir las tribus y vivir en armonía, pero en la **Era del Comercio** dieron origen a nuestros miedos sociales, los **Miedos del Ego**.

Para que el clan permanezca unido, viene muy bien que sus miembros sientan la necesidad de pertenecer, de compartir (dar y recibir) y de que exista algún tipo de orden entre ellos. Estos rasgos son tan esenciales, que son también los que componen las tres áreas de la consciencia, el sentir, el pensar y la voluntad (por este orden), y por tanto, los que definen cada Era de la Humanidad. Como vimos en el primer capítulo, la **Era de la Comunidad** corresponde al área del sentir, que se relaciona con la necesidad de pertenecer, y su vehículo es el amor. La **Era del Comercio** corresponde al área del pensar, se relaciona con la necesidad de compartir y su vehículo es la comunicación. La **Era del Ser** corresponde con el área de la voluntad, se relaciona con la necesidad de tener un orden interno y un orden externo y su vehículo es el poder personal.

Durante el neolítico, un período de energía femenina, la pertenencia, el compartir y el orden se vivían como fuerzas aglutinadoras, que ayudaban a fomentar de manera fluida la cohesión del grupo. Pero al iniciarse la **Era del Comercio**, con energía masculina, la fuerza separadora de ésta provocó que la consciencia de cada miembro de la comunidad se individualizase, creando así el Ego y nuestra realización de que somos seres individuales (hasta entonces nuestra identidad era de clan), pero a su vez, "forzando" la unión del grupo mediante el miedo.

Al construir murallas para encerrar nuestros alimentos, defendernos de aquellos que querían nuestros recursos, y agruparnos varios clanes en una ciudad, surgieron los miedos sociales, los **Miedos del Ego,** y empezamos a desarrollar la consciencia de que somos individuos separados. Con la memoria tribal reciente, la separación equivalía a la muerte.

Si no pertenezco al grupo, si éste me abandona, me deja fuera de las murallas, entonces me muero. Si los demás no me dan lo que necesito o no reciben lo que tengo que dar, entonces me rechazan, y me echan fuera de las murallas. Si en la comunidad no hay un orden –el que yo creo que es bueno- que asegura el equilibrio (a través de la codependencia), entonces estallará un motín, se "vendrán abajo las murallas", y todos moriremos. Los **Miedos del Ego** son en esencia miedo a quedarse fuera de las murallas protectoras. Y miedo a estar fuera, es miedo a no estar dentro…

Afortunadamente, hemos iniciado otra Era femenina. Ha llegado el momento de dejar atrás los **Miedos del Ego** y relacionarnos de manera fluida.

Todos tenemos los tres **Miedos del Ego**, al abandono, al rechazo y al descontrol, aunque en grados diferentes. Por lo general, hay uno que nos afecta muchísimo, uno que cuando lo sentimos nos activa de manera desmedida nuestro Ego inmaduro, uno que nos rompe por dentro, que nos hace sentir una emoción cuya intensidad en realidad no corresponde a lo que sucede en ese momento. Hay un miedo que gobierna por completo nuestra vida cuando no somos conscientes de él, mientras los otros dos nos afectan también, pero en menor grado. Hay otro que aparece como secundario, y suele corresponder al miedo principal de uno o ambos progenitores. El tercero aparece con menos fuerza, pero no viene mal tomarlo en cuenta a la hora de explorar los talentos propios.

Para **Vivir desde el Ser,** es fundamental y prioritario definir, comprender y hacer consciente cómo nos afecta nuestro miedo principal. El miedo es lo que ayuda a crear al Ego, pero es también lo que nos separa de nuestro centro. Imagínalo como una energía oscura y densa que habita tu núcleo. Su existencia te escinde, separa tu mente de tu cuerpo, y te separa de tu Ser. Pero no es algo malo, de hecho, esconde algunos de tus talentos. No es algo frente a lo que hay que luchar (la confrontación nos lleva a la división y no a la unión). El miedo existe como una energía oscura y densa porque no ha sido visto bajo la luz de la consciencia. Iluminar al miedo conociéndolo es disolverlo…, y los regalos (talentos) que oculta luego salen solos.

Lo que la mente racional separa, la palabra une. Vimos en el capítulo anterior cómo nuestra mente huye cuando percibimos una sensación desagradable, generando sus propias emociones. No somos conscientes de aquello que percibimos, sino que antes de darnos cuenta nuestra mente ya ha huido. Es muy rápida, y es muy eficaz el mecanismo de supervivencia de la amígdala. Hubo un león, pero ahora le tenemos miedo, aunque no nos acordemos de él. Pues bien, la palabra es la herramienta mágica que nos puede ayudar a arrojar luz sobre el miedo y sobre las sombras que habitan en nuestro inconsciente. Pero no funciona cuando buscamos explicaciones para justificar acciones, sino cuando dirigimos el foco hacia adentro e intentamos poner palabras a aquello que tememos. Por definición, nunca mejor dicho, poner nombre a lo que se percibe o siente trae a la luz el contenido del inconsciente. Si me doy cuenta de que temo al león, pero estoy seguro en mi casa, la palabra ilumina el miedo antes desconocido, y puedo entonces descubrir el coraje.

"Lo que la mente racional separa, la palabra une".

Lo mismo sucede con los **Miedos del Ego.** Si identifico y nombro mi miedo, arrojaré luz sobre él y será menos intenso. Entenderé y aceptaré mi miedo, sabiendo que su intensidad no indica un peligro para mi existencia. Me haré su amigo, lo integraré y hasta lo amaré.

Así hasta que se convierta en algo tan íntimo que cuando vuelva a asomar la cabecita, le sonreiré y, aunque me afecte, reconoceré su razón de Ser y el regalo que me trae, y no magnificaré sus sensaciones con mis pensamientos.

¿Por qué es tan intenso el miedo? Porque está fundamentado en un rasgo biológico que nos ha ayudado a sobrevivir como especie. Porque resuena y vibra con nuestras memorias celulares, con toda la Humanidad. Sólo son tres los **Miedos del Ego**. Imagina la cantidad de veces que alguien ha sentido el miedo al abandono, al rechazo o al descontrol; están profundamente embebidos en nuestra memoria celular. Toda esa energía inconsciente ha creado una capa sutil pero densa que conforma el **Techo del Ego**. Pero antes de empezar a hablar de éste, quiero describir, ponerle palabras, a las características de cada uno de los **Miedos del Ego**.

Por cierto, **Paloma Cabadas** habla de los miedos en su libro sobre "El Trauma Nuclear de la Consciencia", desde el punto de vista del desarrollo de la consciencia individual a lo largo de sus encarnaciones, y describe las dinámicas y diferentes expresiones del trauma.

Cada uno de los **Miedos del Ego** se caracteriza por una intensidad energética creciente. Conocer nuestro principal miedo nos ayuda a comprender el tipo de energía que usamos y cómo manejarla. También se relaciona con una etapa evolutiva diferente y con una serie de dificultades y talentos.

Todos tus miedos, seas o no consciente de que los sientes (por ejemplo, una persona que ama el riesgo puede parecer valiente, pero tener miedo a sentir por el descontrol que le provoca), se reducen a los tres **Miedos del Ego**, esto hace que el trabajo de traerlos a la luz mediante la palabra sea mucho más fácil. Te invito a que sientas tus miedos y cómo te afectan. No tengas prisa por definirte. Toma tu tiempo. Siéntelo, observa tus reacciones, trabaja sobre los tres. Para **Vivir desde el Ser** es imprescindible reconocer tus miedos.

Miedo al abandono

Su cualidad energética es débil y corresponde a la primera etapa del desarrollo, al bebé, que es indefenso y no puede valerse por sí mismo. Este miedo se activa antes de los cuatro años mediante vivencias de abandono, ya sean reales o imaginarias, por ejemplo, porque la madre fue fría, arisca o ausente.

Cuando una persona es afectada por este miedo, tiene una profunda sensación de soledad y de estar desvalida, pero reaccionar o tomar acción resulta difícil; lloran o se quedan mudos; éstas son las únicas respuestas de un bebé. Este miedo resuena con el infante que es abandonado fuera de las "murallas" protectoras, por eso la persona siente que necesita la ayuda de los demás o morirá. Siente un gran vacío que añora ser llenado. Tiene miedo a no tener suficiente para sobrevivir: alimento, dinero, seguridad, cuidados, …

Es muy afectivo y puede mostrarse muy cariñoso. Hay miedo a quedarse solo y a perderse, ya sea en el plano físico o en el mental. La imaginación es su salvación, ya que en su mundo ficticio mental puede crear una realidad en la que no es abandonado. O llena su cabeza de información para no sentir el vacío, llegando así a desarrollar mucho las capacidades intelectuales. Pero el riesgo está en el autoabandono, ya sea a nivel físico o mental: puede dejar de cuidarse, engordar, perderse en las drogas o incluso llegar a disociarse mentalmente hasta "perder" la cabeza, y por supuesto, también puede abandonar a los demás. El control mental o "perderse" en las obsesiones, es otra de las posibles manifestaciones. Necesita aprender a atender y sentir su cuerpo. Esto le ayudará a desarrollar su individualidad.

Cuando este miedo se activa, no se posee la fuerza energética suficiente como para emprender una acción contundente en el mundo externo; la tendencia es esperar a ser rescatados, a que las cosas sucedan. A la hora de empezar esfuerzos pueden rendirse con facilidad debido a esto. Los rituales les ayudan a conectar con la materia y desarrollar la paciencia necesaria para comprobar que su intención se manifiesta.

Como talento tiene la receptividad y una gran capacidad para amar a los demás y el trabajo que realiza. Es el gran especialista y desempeña tareas con gran dedicación y foco. La entrega le caracteriza, ya sea a una labor, a una persona, o al Universo como fuente de Vida. Alberga el secreto del individuo que se sostiene por sí mismo, si suelta el apego, el miedo a perderse y a quedarse sólo. **Es el alma libre, el niño interior.**

Miedo al rechazo

Su cualidad energética es intermedia, y corresponde a la etapa de la niñez, entre los 4 y los 7 años, cuando el niño empieza a interactuar con los otros niños. Este miedo suele aparecer en la escolarización temprana y se relaciona con lo que uno da o recibe de los demás, por lo tanto, con las primeras interacciones sociales.

Se ve afectada la comunicación, ya que ésta es el principal medio de intercambio con el otro que tenemos, y comprometida la madurez emocional. Resuena con el extranjero que es repudiado por diferente; su forma de vestir, pensar, hablar, actuar no es como la de los demás, por lo que no es acogido por el resto de la sociedad, y en especial, por el líder que ve en él una amenaza. Por eso termina rechazado.

A diferencia del anterior, este miedo implica autonomía. El rechazado camina y se va en cuanto siente su miedo, bien a buscar a otros para desahogarse, bien a lamerse las heridas en soledad. El problema es que suele terminar aislado, y por lo tanto no desarrolla las habilidades sociales y emocionales necesarias como para poder comunicar con éxito con los demás, lo que le resultaría en ser aceptado y reconocido; o creando corrientes de opinión en contra del poder establecido.

Como compensación, se centra en el hacer en vez de en el sentir, llegando a ser muy perfeccionista y habilidoso. Aunque su hipersensibilidad al rechazo le lleva a creer que sólo recibe críticas de los demás, con lo que se esfuerza en hacer las cosas aún mejor.

Le cuesta tanto expresar lo que siente por miedo a ser rechazado, que termina optando por cambiar su punto de vista y "comprender" al otro, antes de comunicar de verdad su sentir. Pero esta estrategia tiene un límite que sólo él conoce, y el día en el que se alcanza, recoge sus bártulos, se da media vuelta y se va, sin decir nada y sin dar oportunidad al otro. Es decir, rechazando.

Para superar este miedo, ha de aprender a "hablar el idioma" de los demás y conocer "otras culturas" y formas de ser. Es decir, ha de aprender a empatizar y ponerse en lugar del otro. No todo el mundo ve las cosas de la misma manera. Separarse y vagar por el mundo le es natural, por lo que puede conocer muchas realidades y muchas personas, pero no suele hacerlo en profundidad.

El "No" es una barrera infranqueable para él, y la comunicación se convierte en un arma de defensa en vez de en un puente de unión. La utiliza para manipular el encuentro, definiendo a priori todos los resultados posibles, curándose así en salud. Sin darse cuenta, de esta manera consigue rechazar las diferencias de los demás, escudándose detrás de opciones lógicas y palabras bien articuladas, o de un silencio frío. Entonces los demás terminan rechazándole. Ante la profecía autocumplida, levanta un escudo de cristal que le hace aparentar frío y duro por fuera, bloqueando su expresión verbal y emocional, mientras que su mundo interior, que no ha tenido tiempo para madurar, hierve de dolor. Pero nadie siente la motivación para acercarse y darle un abrazo.

Se lleva mal con las personas que ostentan algún tipo de autoridad porque insiste en comunicarles sus ideas, mientras que para el líder tanto las propuestas novedosas como el silencio del rechazado suponen una amenaza. El desencuentro suele terminar en traición al poder establecido. Es el gran instigador de movimientos sociales subversivos.

Ha de aprender a recibir críticas y negativas, sin tomárselo personal, y no criticar. Ha de descubrir que las opiniones contrarias no son sentencias sino estados pasajeros, así como apreciar las diferencias entre las personas y sus puntos de vista para conectar con los demás.

Ha de aprender a recuperar y reconocer su conexión natural con la intuición, con su Ser, en vez de esperar a que se la reconozcan.

Como talento tiene la capacidad para poner palabras a lo que siente y comunicar desde el corazón, para conectarse con lo más elevado de su Ser y comunicar sus mensajes, y para conectar y coordinar a las personas. **Es el conector-comunicador.**

Miedo al descontrol

Su cualidad energética es muy fuerte y corresponde a la etapa a partir de los 7 años hasta los 14. Este miedo surge en la adolescencia; el púber pasa de ser hijo de sus padres, mimetizado por completo con los valores y deseos de sus progenitores, a de golpe sufrir el estallido hormonal de su cuerpo. Resuena con el joven que de la noche a la mañana se siente diferente a su clan; es el joven lobo que le planta cara al macho alfa; el encuentro estalla en violencia y muchos miembros del grupo salen mal parados.

La vivencia es que la familia no puede sostenerle emocionalmente, bien porque no dispone de la capacidad o porque los progenitores son malos modelos de contención o de manejo de la propia energía y poder personal, por lo que ésta se asocia sólo con destrucción.

El shock de este cambio tan brusco atrae acontecimientos drásticos y dramáticos que alteran repentinamente la vida del individuo. Esta vivencia hace que desarrolle miedo a sentir, debido a que se vincula al descontrol emocional, al miedo a un desastre repentino, a la violencia e incluso a la muerte, ya que no se aprendió a manejar adecuadamente las emociones desbordadas, y miedo al descontrol, o que las cosas o las personas estén fuera de su sitio. Es más, debajo de este miedo a sentir subyace una profunda tristeza y sentimiento de desvalorización… Es el miedo a poder descubrir que tu vida es totalmente insignificante. Esto es tan doloroso que se escuda detrás de una rápida reacción de rabia, de tal manera que, a mayor prepotencia, mayor miedo a no merecer si quiera ser visto como un ser humano.

Por eso, también aparece el miedo al fracaso o miedo a ser descubierto como un fraude, pero que no es más que miedo a perder el lugar que le corresponde dentro del grupo social, miedo a caer en desgracia. Necesita el orden a todos los niveles, pero que el orden sea el suyo. Se siente atrapado y descolocado en el orden de otros, pero no soportaría ir por libre y que su posición dependa de cada situación o del azar.

Si no logra imponerse a los demás, adopta la estrategia que tenía de niño: como mis padres no son muy predecibles (en su manejo emocional y energético), me mimetizo y adapto a ellos. Con su tendencia a gravitar hacia ambientes violentos o traumáticos, puede terminar en situaciones de abuso sin darse cuenta.

Le resulta difícil cuestionarse el orden de las cosas, y en especial a las autoridades, empezando por sus padres cuando era pequeño. Por esto mismo, es muy frecuente que no se acuerde de casi nada antes de los 7 u 8 años. Por otro lado, cuando percibe que tiene su entorno controlado, cualquier situación o enfrentamiento con otro se plantea como que uno ha de ganar y el otro perder, por lo que se esfuerza en no dar su brazo a torcer y ser el vencedor. Esto le puede llevar a manifestaciones violentas.

Es muy frecuente, debido a la gran cantidad de energía que se maneja con este miedo, si no es adecuadamente canalizada, que se produzcan muchos acontecimientos dramáticos o enfermedades graves a lo largo de la vida, bien sobre uno mismo o en el entorno familiar o cercano. Evitar las emociones fuertes o intentar controlarlo todo y manipular a los demás para que prime la paz solo empeora esta tendencia. Ha de aprender a sentir y a valorar su existencia.

Como talento posee la capacidad para canalizar un enorme caudal de energía creativa, y para poder hacerlo necesita desidentificarse de su gran Ego y dejar que aquella fluya. Es el generador de ideas, el que pone en marcha a la gente, el impulsor de proyectos e iniciativas. Debe entender que la clave es crear situaciones ganar-ganar para estimular la cooperación. Tiene la habilidad de manipular a los demás para elevarlos espiritualmente, por eso puede ser un buen maestro (en francés, se llama *elèves* a los estudiantes). Muy importante, todo lo que crea o impulsa, todas las relaciones personales, ha de soltarlas, desapegarse o no tomárselas personal (ha de quitar su gran Ego de en medio), si no quiere que su gran energía se vuelva destructiva. **Es el creador-inspirador.**

Miedo	Etapa	Energía	Talento
Abandono	hasta 3-4 años	Débil	alma libre
Rechazo	de 4 a 7 años	Intermedia	conector-comunicador
Descontrol	de 7 a 14 años	Fuerte	creador-inspirador

En el Manual para **Vivir desde el Ser**, explico cómo trabajar con los **Miedos del Ego**. Por el momento, obsérvate. Siente qué miedo resuena más contigo.

COCINANDO EL EGO

Nuestro Ego se forma en casa, en el hogar, con nuestra madre, nuestro padre, en la familia, en medio del clan. Se cuece lentamente a través de todas las vivencias, experiencias y aprendizajes que experimentamos a lo largo de nuestra vida. Es el resultado de nuestras vivencias tempranas, de nuestras relaciones con los padres o las figuras que los representaron, del ambiente en el que crecimos. Y está condicionado por las historias del clan, las creencias culturales y todas aquellas memorias celulares que nos ligan a la Humanidad y su sufrimiento, más conocidas como karma o vidas pasadas. Estas memorias son el pegamento que nos une a la realidad tridimensional y que nos liga a los demás seres humanos que comparten con nosotros este planeta. Sin embargo, sin Ego no podemos desarrollar consciencia individual, y tampoco podríamos empezar a conectar con nuestro Ser, aunque para esto necesitamos que esté maduro y que no nos identifiquemos con él.

En astrología el signo Cáncer simboliza el hogar de origen, el clan y sus memorias, la madre, la familia, el alimento, la cocina, la nutrición y el cuidado, y también se relaciona con las bases psicológicas. Cáncer (y la casa IV, regida por este signo) es donde se cocina el Ego, y es donde hay que volver (a sus lecciones) para darle unos minutos más de cocción cuando, tras salir e interactuar con el mundo, comprobamos que aún no está maduro, que seguimos en modo "pedir", en vez de en modo "dar".

El Ego es necesario para interactuar con la vida, pero para poder **Vivir desde el Ser** y dar lo mejor de nosotros para el bien común, ha llegado el momento de aprender que no somos Ego, que es sólo un traje para ofrecernos al mundo y para comunicar con los demás. Para eso tenemos que reconocer las creencias que nos limitan, y dejar de creérnoslas; comprender los patrones que repetimos continuamente en nuestro intento de cerrar círculos emocionales abiertos en esta o en otras vidas (ancestros, vidas pasadas…), no identificarnos con las emociones que crea nuestra mente, y en especial con los **Miedos del Ego**; en definitiva, simbólicamente romper con los lazos que nos unen a nuestro pasado para elegir en verdadera libertad el camino que queremos y que deseamos desde el Ser. Para realizar este trabajo, el primer paso es conocer la **Estructura del Ego.**

La Estructura del Ego

Todos tenemos algo en común en la estructura de nuestro Ego. La secuencia de creencias, el patrón, es un "juego" entre los tres miedos. Puede variar el orden de la secuencia, y la forma en la que vivimos cada una de las energías de los tres **Miedos del Ego** puede ser diferente. Pero, en definitiva, lo que sucede es que estamos teniendo experiencias para intentar conjugar las energías de los tres **Miedos del Ego**, que, para poder integrarlas, hemos de transformarlas primero en talentos.

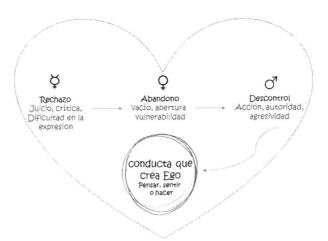

La estructura del Ego inmaduro

En cada intento, en cada encuentro con nuestro patrón, con la estructura de nuestro Ego, experimentamos el abandono, el rechazo y el descontrol. Puede que, en este orden, puede que en otro. A veces lo vivimos en primera persona, y somos la víctima, otras en segunda, y somos los perpetradores. Otras veces nos lo cuentan, o incluso lo vemos en el mundo que nos rodea, por ejemplo, en una película.

Nos encontramos con nuestro patrón continuamente y a todos los niveles, literal, relacional, figurativo, … Sin darnos cuenta, vivimos recreando una suerte de obra de teatro en la que todos los actores no hacen más que reflejar una parte de nosotros que aún no tenemos integrada, y por eso la vivimos como separada. Donde hay separación, hay miedo (energía masculina). Donde hay integración, hay amor (energía femenina).

Cada vez que entramos en la secuencia de nuestro patrón, tenemos la posibilidad de experimentarlo desde la integración de uno, dos, o incluso de los tres aspectos integrados. Es decir, en vez de vivir el abandono, el rechazo y el descontrol, constataríamos, respectivamente, la receptividad o expresión genuina, la comunicación o conexión, y la fuerza creativa del poder personal.

abandono – rechazo – descontrol
||
receptividad – comunicación - creatividad

Pero lo normal es no lograrlo, y entonces, como nos quedamos "mal", entramos en un circuito de máximo consumo energético en donde pensamos, sentimos y/o hacemos de manera "obsesiva". Este circuito es el momento en el que se cocina nuestro Ego. Es el "horno canceriano" del que hablamos antes. Todo horno funciona con mucha energía, por eso es necesario pensar, hacer o sentir de manera "obsesiva" para terminar de cocinar nuestro Ego.

No podemos evitar este proceso, ya que ese es el propósito de nuestra experiencia: vivir desde el miedo las tres energías hasta aprender a integrarlas desde amor, con los talentos. Y entre medias, habremos logrado madurar nuestro Ego. No tiene sentido forzar este proceso. A lo sumo podemos abrirnos a vivirlo con menos resistencia, haciéndonos consciente de nuestro patrón.

La estructura del Ser con Ego maduro que da

Cuando el Ego haya madurado, habremos logrado integrar nuestra receptividad (sentir), con nuestra capacidad para comunicarnos (pensar), y nuestra creatividad desde nuestro poder personal (hacer). En definitiva, habremos empoderado a nuestro niño interior para que pueda ofrecer al mundo lo mejor de sus talentos.

> **"Madurar el Ego implica empoderar a nuestro niño interior para dar lo mejor de nuestros talentos al mundo, al servicio de los demás".**

En el último capítulo del libro, el **Manual para Vivir desde el Ser**, explico cómo calcular el patrón de tu Ego, y cómo ver los talentos. También encontrarás varios ejemplos de patrones y su resolución.

La impronta

Uno de nuestros condicionamientos básicos que, hasta que no lo traemos a la luz de la consciencia, nos impide estar en modo "dar", es la impronta de los primeros años de vida. Al igual que sucede con los pajaritos, que lo primero que ven al salir del huevo creen que es mamá (aunque sea un científico con un calcetín sobre el brazo), a nosotros nos pasa algo similar, con la salvedad de que la impronta no sólo es visual, sino también sensorial, y empieza durante nuestra gestación, prolongándose hasta los tres años de edad. Todo aquello que sucede durante este periodo, desde la gestación hasta los 3 años, se registra como bueno. Es "amor seguro de madre".

El bebé no se cuestiona dónde nace ni de quién, para empezar porque aún no razona, pero además porque es un imperativo biológico ser y vibrar como mamá y el clan. El recién nacido absorbe todo lo que siente la madre y lo que la rodea porque esto conforma la identidad de lo que es bueno y seguro. Y así, independientemente de la calidad de lo que se interioriza, cree que amor es todo eso que emana mamá. Mamá es quien le alimenta, y el bebé acepta todo lo que venga de ella, ya sea un rico biberón o la mala leche por la bronca que ha tenido con papá. Para el pequeño todo es bueno, todo es seguro y todo es amor. El problema nos viene cuando nos hacemos mayores y seguimos creyendo que eso es amor. La impronta es como un "olor", el aroma del hogar; naciste impregnado en él; es tan familiar que nunca lo has cuestionado, pero cuando te alejas, volver a olerlo te da seguridad. ¡¡Aunque sea fétido!!

Podemos pensar de adultos que "no quiero ser igual que mi madre", pero sabemos que eso no se nos da bien. Es porque realmente no somos conscientes de cuál es la impronta que tenemos grabada, que hemos absorbido. Mientras no arrojemos luz sobre este patrón, no podremos pasar del modo "dame" al modo "dar", es decir, no podremos madurar el Ego. Y seguiremos buscando el amor de la impronta en nuestras relaciones, sin ser conscientes de que eso no tiene nada que ver con el amor, intentando continuamente solucionar todos los problemas de nuestra vida con esa estrategia fallida y a veces hasta perversa, porque es de esta manera, replicando el "olor" de la impronta, como llamamos (inconscientemente) a mamá para que nos rescate y nos proteja.

Por ejemplo, imagina un bebé que desde que la madre se queda embarazada de él hasta los tres años sus padres no atraviesan un buen momento y se separan momentáneamente, dejándose prácticamente de hablarse. Él asocia amor seguro de madre con aislamiento y silencio. De mayor, cada vez que se encuentre con situaciones que no sabe enfrentar, su "huida", su "cueva segura" será repetir la impronta, es decir, "hacerse la víctima" y "llamar a mamá". ¿Cómo? Replicando en sí mismo y a su alrededor las circunstancias que se grabaron en la impronta. Así, cuando más lo necesite, no sabrá cómo pedir ayuda porque recrea el silencio, ni conseguirá contactar con los demás, sino que se quedará solo. De manera "perversa", cree inconscientemente que el amor seguro es la soledad y la incomunicación. Es evidente que la impronta hace un flaco favor a las relaciones de pareja, que como luego veremos son aceleradores evolutivos. No hablar y aislarse nunca ha servido al amor de verdad. Como vemos, mientras uno esté en modo "dame", sólo recibirá desde la impronta, pero nunca podrá conocer el amor de verdad.

Ahora imagina una impronta de violencia; los padres se agreden y chantajean cuando el individuo no es más que un bebé. ¿Cómo se enfrentará esta persona a los problemas que sufra de mayor? ¿Crees que esto le ayudará a resolverlos? ¿Crees que será feliz? ¿Cómo será su modo "dame"? Desde luego necesita traer la impronta a la consciencia para poder redefinir su concepto de "amor" y qué tipo de personas y situaciones quiere atraer a su vida, si no quiere encontrarse con parejas que abusan de ella.

Y si los padres sufren problemas económicos porque no encuentran trabajo, y viven angustiados porque no saben si llegarán a final de mes. Quieren al bebé, pero su atención está cargada de miedo y crispación. La incertidumbre planea en el ambiente. ¿Cómo será la vida de esta persona? ¿Le resultará fácil encontrar trabajo? ¿Si tiene pareja, podrá ésta tener un trabajo estable? ¿Cuál será su relación con el dinero? ¿Cómo se relacionará con los demás? Evidentemente, siempre desde la escasez.

En estos tres ejemplos de improntas podemos además observar la relación con los **Miedos del Ego**. El primero corresponde al miedo al rechazo, se genera una dificultad para la comunicación, el segundo con el descontrol, no se aprende un manejo equilibrado y justo de la propia energía, y el tercero pertenece al abandono, ya que genera miedo a no tener suficiente para sobrevivir.

En el **Manual para Vivir desde el Ser** trabajaremos más sobre la impronta.

Las memorias de los ancestros

Pero no sólo nos afectan nuestros padres y lo que vivimos de pequeños, también las vivencias y conflictos no resueltos de nuestros ancestros, de abuelos, bisabuelos, etc., se expresan en nosotros a través de las memorias celulares. De la misma manera que el Ego es influenciado por las vivencias de los padres en la niñez, por ese "olor" familiar que es el campo morfogénico (o memoria colectiva que informa la forma) del hogar en el que nacimos, lo mismo les pasó a nuestros padres, y a su vez, a los suyos. La información de conflictos, traumas, experiencias no resueltas es una energía que no se libera (como cuando cerramos círculo y empaquetamos la información en la consciencia individual y colectiva), sino que se fija en el cuerpo en la forma de tensiones, enfermedades o afecciones. Mamá, que por serlo es receptiva a toda la información y conflictos de la unidad familiar (ver *Relaciones desde el Ser*), cuando cría transfiere esas memorias al bebé a través de sus tensiones, preocupaciones, inquietudes, o enfermedades. El bebé absorbe esa información codificada en el cuerpo. A lo largo de su vida, tropezará con circunstancias (internas o externas) que activen esas memorias y le brinden la oportunidad de por fin cerrar el círculo. Como no somos conscientes de esto, seguimos dando palos de ciego, probando (inconscientemente) diferentes actuaciones o somatizaciones que mantienen la polaridad del conflicto y la ficción del Ego que lo expresa, quien se cree entonces que necesita defenderse del mundo. Al no resolver, por tanto, no integrar la información, no cerrar el círculo, y mantenerse en modo "dame", este bebé pasa esa información del conflicto a la siguiente generación, a través de la madre que cría…

Un ejemplo, imagina una familia que lo pierde todo en la Guerra Civil, demasiado preocupados están con sobrevivir como para expresar la angustia emocional que sienten. La siguiente generación hereda la angustia, pero polariza el conflicto trabajando a destajo para ganar más dinero y que así nunca falte. Inconscientemente siguen angustiados, por lo que no resuelven, sólo expresan la otra polaridad. Los nietos a su vez "heredan" también esa angustia, pero habiéndose criado con padres que trabajaron tanto, se polarizan de nuevo hacia la escasez, replicando la angustia sintiéndose vacíos, a pesar de la abundancia material, o porque no encuentran trabajo.

Lo mismo sucede con las enfermedades, que no son más que un nivel más denso de manifestación de un conflicto no expresado. Desde este punto de vista, las enfermedades no se heredan genéticamente, sino epigenéticamente, es decir, a través del campo del campo morfogénico. El biólogo **Bruce Lipton** explica este mecanismo detalladamente en su libro "La biología de la creencia", o en sus numerosos vídeos en Youtube. Asimismo, la disciplina de la biodescodificación, que se apoya en el análisis transgeneracional, explica con mucha exactitud de qué manera las enfermedades y síntomas intentan expresar conflictos no resueltos, tanto propios como de los ancestros. Investigadores como **Salomon Sellam, Christian Fleche** o **Christian Beyer** están realizando una profunda investigación con la visión de cambiar el paradigma de la medicina, y se basan en el trabajo del **Dr. Ryke Geerd Hamer**, quien postuló la "Nueva medicina germánica", que fue rechazada por la comunidad científica y ahora su labor pionera está siendo cada vez más valorada. Y en España está **Enric Corbera** y la Bioneuroemoción, que añade la visión de "Un Curso de Milagros" y la importancia de las emociones a la biodescodificación, también con multitud de vídeos y libros disponibles para quien quiera profundizar en ello.

Resumiendo, los conflictos no expresados, aquellos que no decimos por miedo a la separación, por los **Miedos del Ego**, son transmitidos de generación en generación. Generalmente es la tercera generación la que tiene la oportunidad de resolver y cerrar el círculo, ya que experimentará la misma polaridad que la primera (lo más habitual es que la segunda generación exprese la polaridad contraria). En el caso de las guerras, como los ritmos colectivos se sincronizan, esto se ve aún más claramente.

Nuestros abuelos sufrieron horrores como traiciones, perderlo todo, muertes, robos, abandonos, etc. Sus hijos, nuestros padres, se centraron en reconstruir, recuperar, reunir, trabajando a destajo para ganar más y más dinero, en un intento fútil de borrar la huella de los traumas con coches, casas y cocinas relucientes. Pero el "Estado del Bienestar" no se puede comprar con dinero. La tercera generación es la que limpia el trauma, además ya tiene una base material segura que le permite tener tiempo para "entretenerse" con las cuestiones internas. Ahora nosotros, que vivimos acomodados, pero seguimos resonando con las angustias de la guerra, dirigimos la mirada hacia adentro. No importa si al principio esto se manifiesta como hedonismo, al final la vida te brinda la oportunidad de sanar los traumas familiares. Y si no lo haces, la siguiente generación los hereda...

Vidas pasadas

Como mencioné en el capítulo anterior, creo que indiferentemente puedes indagar en mirar vidas pasadas, ver qué karma arrastras, el árbol transgeneracional, o lo mal que te han tratado tus padres. Cada cuál accede a sus memorias celulares a su manera. La clave para mí es comprender que sólo son memorias que piden ser integradas para descubrir nuestros talentos y dar lo mejor de nosotros al mundo, por el bien común. Creo que lo importante de conectar con vidas pasadas no es descubrir una película fantasiosa, en donde uno es héroe, víctima o villano. En nuestras memorias están todas las polaridades, alimentarse con romanticismos o regodearse en historias escabrosas sólo satisface al Ego inmaduro, pero aporta poco al crecimiento personal.

Las imágenes que podemos ver de vidas pasadas sólo son memorias que resuenan con conflictos de la Humanidad, y como tales hay que abordarlas. De nada sirve sentir que en otra vida has sido abandonado a tu suerte si con eso te posicionas como víctima, creyéndote con derecho por tanto de que alguien te "de" lo que necesitas… Tampoco, el darte cuenta de que no has ayudado a quien debías, propiciando su desgracia y justificando kármicamente así la tuya… Ni siquiera verte como un justiciero salvador de los más débiles y pobres…

Cualquier interpretación en este sentido lo que consigue es perpetuar la ilusión de separación, de que el Ego inmaduro necesita que le "den". Nos mantiene polarizados y anclados a la tridimensionalidad. Ha llegado el momento de abrirnos a más dimensiones y **Vivir desde el Ser**. Descubrir memorias ha de servir únicamente el propósito de darnos una perspectiva atemporal de la realidad, una comprensión holística de que todo es perfecto en cada momento dado, y que no hay nada que nos separa. No hay víctima, ni héroe ni villano, sólo información, energía y experiencias duales en la materia para experimentar y luego crear.

El Ego inmaduro ve culpables, separa la realidad y espera que le "den". Sabrás que tu Ego ha madurado y puede "dar", que te has desidentificado de él cuando comprendas y verdaderamente sientas cómo todo es perfecto, incluso algo tan trágico como la muerte de un niño. Nadie dijo que esto es fácil, pero cualquier pasito dado en esa dirección ya es válido. Empieza por buscar perspectivas cada vez más amplias que te ayuden a no tomarte personal las cosas que te suceden en la vida. Nadie te abandona, nadie te rechaza, no existe enfrentamiento. Siente la energía que posees y su cualidad, y comprende que todo lo que has vivido te lleva a aprender a usarla para el bien común.

CONSTRUYENDO EL TECHO DEL EGO

Si en astrología la Luna simboliza el Ego y el signo que rige, Cáncer, el horno en el que éste se cuece, desde mi punto de vista, Capricornio y su regente Saturno nos hablan del **Techo del Ego** y lo que nos dificulta hacer el salto de consciencia para **Vivir desde el Ser**. El planeta de los anillos nos señala dónde viviremos restricciones y para qué, y qué habilidades nuevas hemos de perfeccionar para madurar nuestro Ego. Saturno, desde nuestra perspectiva actual, simboliza el padre, la madurez, al poder establecido, las leyes, el orden social, el control, la resistencia, el perfeccionismo, la crítica, el tiempo, el esfuerzo, el aislamiento, el dolor, los límites, la jerarquía, la culpa, el karma y la responsabilidad. Capricornio es el **Techo del Ego**.

Sin embargo, los arquetipos no son estáticos, sino que mutan y se transforman conforme lo hace la Humanidad. Desde la **Era del Comercio** y su visión escindida, Saturno y Capricornio representan dificultades y se consideran maléficos; son los bloqueos, los impedimentos que obstaculizan nuestra felicidad, aunque nos brindan la oportunidad de incorporar importantes aprendizajes. Pero desde le **Era del Ser**, nos hablan de una nueva base para el Ego y de cómo podemos hacer el salto de consciencia para **Vivir desde el Ser**. Capricornio y su regente hablan de estructura; ésta ha sido rígida y se ha sentido como impedimento durante los últimos cinco mil años de organización social tridimensional o jerárquica. En un **Mundo en Red**, se convertirán en un soporte flexible que permitirá fluidez. Por cierto, si en tu carta natal tienes mucho peso de Saturno, enhorabuena, tienes en esta vida una gran oportunidad para romper tus viejos esquemas y hacer un salto cualitativo en tu nivel de consciencia. Eso sí, seguramente el viaje no será fácil.

Entonces, ¿qué nos impide madurar el Ego y atravesar su Techo? En esencia, nada externo. Tú mismo te lo impides. Me explico. La clave para romper el **Techo del Ego** y realizar un salto de consciencia reside en comprender que todo está en ti, que no hay otra realidad, que nadie te impide nada, que tu vida no depende de ninguna circunstancia externa. Pero el Ego inmaduro tiene miedo de lo desconocido, se siente inseguro si suelta lo familiar, tiene apegos, quiere sentir su emocionalidad, y quiere "oler" eso que siempre ha "olido". El Ego inmaduro no quiere perder su trabajo, ni las relaciones que tiene, quiere seguir con su familia y que todo permanezca igual. Prefiere seguir cociéndose en el horno…

Romper el **Techo del Ego** no necesariamente implica que todo lo que hay en tu mundo externo cambiará, pero sí cambia tu mundo interno, y eso hace que te relaciones de una manera muy diferente con los demás. Esto se intuye y da miedo… Pero los miedos ya los conocemos… Así que dejemos de mirar hacia atrás y pongamos el foco en atravesar el **Techo del Ego**, realizar un salto de consciencia y crear una nueva base estructural fluida para el Ego maduro.

Una capa de energía densa

Cualquier persona que ha decidido realizar un cambio personal en su vida, seguramente se ha topado con el **Techo del Ego**. Es como una capa de energía densa pero fina con la que haces tope cuando intentas mejorarte. Cuando te chocas con ella te entra el miedo y las dudas porque aparecen situaciones "tentadoras", que te "obligan" a hacer reaccionar como antes. En este punto, mucha gente se rinde y vuelve a las actitudes anteriores, olvidándose de intentar cambiar sus creencias y patrones.

Imagina que tienes una creencia mediante la cual sientes como un imperativo la necesidad de ser formal y cumplir con lo que dices por miedo al rechazo. Tienes un negocio, y para cambiar decides retarte en este patrón llegando más tarde, sin mirar el horario, intentando convencerte de que en realidad no pasa nada por no estar, y si alguien quiere algo, pueden llamar. Pero conforme te acercas sientes un cosquilleo, una leve duda y preocupación. ¿Y si alguien se ha acercado, ha visto que estaba cerrado el local, se ha enfadado y no vuelve más (esta es la película que se monta un rechazado)? Entonces cuando llegas, ¡zaca! Profecía autocumplida. Te enteras de que así ha sido, y no uno, sino dos potenciales clientes enfadados y perdidos. Tu "intuición" –que en realidad era la voz de tu miedo- te advirtió, y decides que ese reto es "demasiado arriesgado", y que no lo volverás a intentar... Así, cedes ante tu miedo, ante tus creencias, y ante el reto del **Techo del Ego**.

Seguramente pienses que es un ejemplo tonto, o que "hay que ser muy irresponsable para creer que así uno se hace mejor persona". Pues la verdad es que los retos del **Techo del Ego** están llenos de ejemplos insignificantes como éste. Es más, este ejemplo es real, es el mío. Y atravesar la creencia de que el tiempo existe y nos debemos a él, que además está muy arraigada en la sociedad, no es fácil para mí, pero voy soltándola poco a poco, comprobando a base de constancia que "cumplir" con unos horarios no es más que poner el poder fuera. Si sueltas la creencia que tenemos sobre el tiempo, si logras atravesar el **Techo del Ego**, no habrá necesidad de "regirse" por un horario, sino que el propio fluir de la vida te ubica en el momento y el lugar en el que has de estar. Ojo, esto no quiere decir que dejes de tener en cuenta a los demás cuando quedes con ellos, ni tampoco que no uses el reloj, o que no sigas un horario, sino que tu forma de relacionarte con el concepto de tiempo es otra.

Cuando intentas atravesar el **Techo del Ego** aparecen muchas "pruebas" (Saturno simboliza las pruebas y el aprendizaje). No olvides, ninguna es insignificante, aunque creas que se trate de un tema recurrente, que ya tenías visto. No las desestimes. No te sientas frustrado ni fracasado. No es una reválida ni te van a poner mala nota por ello. La clave está en enfrentarlo desde la aceptación y el amor hacia uno mismo, porque las pruebas van a aparecer, y no una, sino muchas veces. Cuando aparecen, reinterprétalas como un logro, de que vas por buen camino. Da las gracias al Universo por ofrecerte la oportunidad. Y ten claro que cada vez estás más cerca de dar un salto de consciencia si aceptas estos retos.

El **Techo del Ego** se puede ver también como una muralla que en su interior mantiene el orden. Al igual que en el mundo jerárquico del patriarcado, dentro de estas murallas las relaciones son de dependencia, los individuos aún no son maduros e independientes, todos han de seguir las reglas, y el reloj de la iglesia marca los ritmos de la vida, cada uno cumpliendo con su cometido. Dentro del **Techo del Ego,** éste permanece inmaduro, dependemos de lo que opinan y hacen los demás, nos dejamos condicionar por las creencias y normas familiares y sociales, y creemos que no tenemos tiempo porque primero hemos de cumplir con nuestras obligaciones. Para hacer un salto de consciencia, hemos de comprender que la realidad no es ésta, que esto sólo es una ilusión, y que lo que hay al otro lado no es la anarquía ni el caos, sino un cambio de perspectiva, la recuperación del poder personal y una relación fluida con la vida.

Disonancia cognitiva y sesgo de confirmación

Esa muralla, esa capa energética fina pero densa que es el **Techo del Ego** ha sido creada en el campo mórfico por todos aquellos **Miedos del Ego** que millones de personas han activado al intentar cambiar, al intentar salir de su zona de confort y hacer algo diferente. Una cosa es la energía de los tres miedos, que podemos imaginarla como una capa más densa y gruesa que conforma ahora la base de nuestra consciencia colectiva. Es como el piso sobre el que se apoya el horno canceriano que cuece el Ego. Otra cosa es el **Techo del Ego,** que está conformado por residuos energéticos, y es el resultado de la mala metabolización de las fracasadas experiencias de cambio, y más concretamente, de la culpa que éstas generan.

La disonancia cognitiva y el sesgo de confirmación son dos fenómenos de la mente humana muy conocidos por psicólogos, publicistas y políticos, son la base de nuestras **Proyecciones,** y el motivo por el que nos cuesta tanto estar presentes en el aquí y el ahora (ver el *Manual para Vivir desde el Ser*). Nos hablan de la reacción de una persona cuando su Ego no tiene la madurez para asumir las contradicciones entre dos creencias. El Ego maduro no entra en conflicto con ideas, porque comprende el mecanismo de las polaridades y su integración. No se cree las creencias, sino que las sublima.

La disonancia cognitiva se produce cuando haces o piensas algo que entra en contradicción con una creencia previa. En un primer momento, esta oposición genera una tensión emocional que impulsa a la persona a encontrar una manera de reconciliar sus pensamientos para poder aquietarse. Un Ego maduro no entra en tensión porque no se aferra a sus creencias, sino que es coherente. Un Ego bien hecho reconoce la equivocación y que tiene que soltar sus creencias para crear una idea que las engloba. Es decir, integra ambas ideas en una nueva. Esto lo puede hacer porque ya posee la humildad suficiente como para dejar atrás todo lo que no le sirve. Pero un Ego inmaduro se aferra a su idea, no modifica sus creencias, ni siquiera se lo plantea, y termina rechazando aquella parte de la realidad que no se ajuste a sus creencias.

Por ejemplo, imagina a un hombre que es educado con unos valores religiosos muy estrictos. De repente su país declara la guerra civil y, como también cree ser patriota, se alista en uno de los bandos. Como buen soldado, obedece órdenes, y es obligado a matar a su vecino formando parte de un pelotón de fusilamiento. Asesinar, y más a una persona que conoce bien, desde sus valores morales está mal hecho. Pero al mismo tiempo tiene la obligación de cumplir órdenes. Esto le genera mucha tensión interna. Si mata, es buen soldado, pero comete un pecado. Si no obedece, es mal soldado, y además arriesga su vida. Una manera de reconciliar esta disonancia es llegar a la conclusión de que su vecino era un traidor, es una amenaza o que incluso iba a matar a su familia.

El sesgo de confirmación es la tendencia a favorecer la información que confirma las propias creencias. La evidencia que apoya la hipótesis contraria es sistemáticamente descartada. Siguiendo el ejemplo anterior, el buen cristiano y soldado escucha y toma en cuenta todos los rumores sobre que su vecino es un traidor, pero se niega a contemplar cualquier otra prueba o posibilidad. O se centra en agradar a sus superiores y se convierte así en un buen hombre de partido, que no cuestiona nada. O busca pasajes en la Biblia que justifiquen que así actúa un buen cristiano, ignorando todo el segundo testamento…

Ahora imagina las veces que la disonancia cognitiva y el sesgo de confirmación han operado, no sólo en el caso de conflictos bélicos, sino en política, en la religión o incluso en la convivencia. La realidad detrás de la intención de cambiar o mejorar entra en conflicto con las creencias previas, pero la incoherencia se resuelve polarizando el punto de vista y negando la otra parte de la realidad. Se alivia la culpa propia buscando un culpable fuera. Esta metabolización incompleta de creencias contrapuestas genera un residuo energético que conforma el **Techo del Ego**.

La culpa, otra vez

La tensión interna que se produce en la disonancia cognitiva no es más que la culpa. Veíamos antes que la culpa nos separa de nosotros mismos (ver *La culpa*). La culpa es una reacción de huida frente a los **Miedos del Ego**. Cuando la amígdala desconecta el córtex, se separa la mente del cuerpo, y huimos, bien con la acción, bien con el pensamiento. Nos sentimos entonces desconectados de los demás, solos. La culpa es entonces un intento de reconectar con el otro, sin haber enfrentado el miedo al abandono, al rechazo o al descontrol.

La culpa se engendra a partir de una autoridad moral (simbolizada en astrología por Saturno y Capricornio) que es la que ordena el grupo social y dicta las normas de convivencia. En la **Era de la Comunidad**, vivíamos en grupos tribales. Todas las personas del clan eran familiares, tenían "el mismo olor". Las personas entonces no tenían desarrollado el sentido de ser individuos. La comunidad compartía unas mismas reglas y creencias tácitas, implícitas, ya que eran compartidas por todos "desde siempre".

Cuando pasamos a vivir en ciudades, al inicio de la **Era del Comercio**, varios clanes se reunieron dentro de una misma muralla. El vecino de enfrente tenía otro "olor", otra manera de ser y otras normas clánicas. Para evitar la lucha interna, la jerarquía ordenante dictó normas de conducta, que se convirtieron en el nuevo sistema de creencias de la ciudad. El nuevo sistema de creencias entraba en contradicción con el del clan: por un lado, tengo que rechazar al que "huele" diferente, porque supone una amenaza al equilibrio de mi familia, por otro, he de cooperar con él si no quiero sufrir las consecuencias del "peso de la ley" y que me echen fuera de las murallas.

La palabra "culpa" viene del latín y significa "falta" o "imputación". Vivir bajo la protección y con los beneficios de una ciudad implica faltar a una parte de las creencias propias, las del clan. La disonancia se resuelve adhiriéndose a unas creencias "superiores". La metabolización de este conflicto no es limpia: debido a la culpa, el individuo no llega a procesar el miedo que tiene a ir en contra de las creencias de su clan (se corre un tupido velo). El residuo energético que se crea por la culpa, interiorizada o proyectada, pasa a nutrir el **Techo del Ego**, reforzando así las "murallas" energéticas de la ciudad.

Pero aquí viene otra vuelta de tuerca de esta dinámica, y es que cuando nos separamos de nosotros mismos necesitamos más espacio. Es biológico, cuando mi amígdala desconecta mi córtex, la orden es de echar a correr. Si dentro de las murallas todos nos echamos a correr, habría un motín y se vendrían abajo las murallas. Por eso, no se puede sostener la energía de la culpa y se termina proyectando fuera. Se busca un enemigo externo a quien proyectar todos los miedos, y todo el exceso de energía que pide movimiento se enfoca en odiar, luchar contra o defenderse de ese enemigo. Él es el portador del mal, pero nosotros/yo soy bueno.

Así, siempre que hay un culpable, hay una disonancia cognitiva. Siempre que percibo al otro como diferente y separado de mí, estoy proyectando fuera culpa. Este mismo ejemplo no sólo ocurre a nivel de miembros de una comunidad o ciudad, sino también a nivel personal. Dentro de nosotros coexisten memorias de creencias que entran en contradicción con otras. Estas memorias se activan con los cambios. No reconocerlas, no cuestionarlas, no ampliar nuestro punto de vista para integrarlas nos escinde internamente permitiendo que el miedo habite dentro. Entonces, el deseo de sentirnos conectados y unidos nos impulsa a echar fuera, a proyectar sobre otro aquello que no podemos integrar en nosotros mismos.

Poner el poder fuera

Como luego veremos, hay dos tipos de personas reactivas (ver *Empodérate y sé proactivo*). Están los que echan fuera la culpa continuamente, convirtiendo su existencia en una serie de reacciones frente a los demás y frente a los acontecimientos de la vida. Un ejemplo de este tipo de persona es el que se queja continuamente de todo, del gobierno, de su pareja, de su jefe, si es que aún lo tiene, etc. Más evolucionados, con el Ego un poco más cocinado, están aquellos que ya han interiorizado las normas sociales. Estos se echan la culpa a sí mismos, intentan compensar cumpliendo las normas, pero la única forma de resolver temporalmente la disonancia es a través del autocastigo. Son personas que no se permiten disfrutar de la vida plenamente, o que creen que si son felices habrá una desgracia, por lo que alternan períodos de bienestar con otros de sufrimiento. Un ejemplo clásico es el de emborracharse y empacharse el fin de semana y pagarlo con la resaca y el malestar del lunes, para justificarse así haber disfrutado del tiempo de ocio.

El problema de interiorizar las normas es que la muralla energética del **Techo del Ego** generada por la culpa se puede volver tan densa que nos hace rígidos e impermeables. Esta rigidez, que se traduce en actitudes mentales, nos impide adaptarnos a cambios, bloquea el flujo interno de energía, y puede terminar provocando enfermedades. A la larga, la culpa hacia uno mismo se proyecta hacia afuera, aunque sea a través de una dolencia proyectada sobre el cuerpo.

En ambos casos, se termina poniendo el poder fuera. En el primero, el culpable está fuera y es quien gobierna tu vida, en el segundo, afuera está la solución o de fuera depende el permiso para ser feliz, para progresar y para vivir en paz.

Poner el poder fuera es otro de los elementos saturninos que conforman el **Techo del Ego**. Si queremos realizar un salto de consciencia, es fundamental recuperar el poder personal. Mientras haya un resquicio de atribución externa, no podrás atravesar el **Techo del Ego**. Esto es complicado porque implica comprender hasta la médula que todo, absolutamente todo lo que sucede en tu vida, depende única y exclusivamente de ti. Sólo un Ego totalmente maduro puede asumir esto, ya que implica ser realmente libre e independiente, y el miedo al abandono, a quedarse solo, pesa mucho.

Según nuestro arquetipo saturnino actual, el poder lo ostenta el padre, que es quien nos tiene que dar el permiso y el beneplácito para que podamos llevar a cabo nuestras aspiraciones; lo tiene el jefe que es quien dicta las normas de la empresa y condiciona a sus trabajadores; lo tienen los políticos y los jueces, que nos limitan con sus leyes y reglamentos; lo tienen las mismas normas que hemos interiorizado...

Creer en límites

La física cuántica nos revela que creamos nuestra realidad. La mesa es sólida porque todos estamos de acuerdo con que lo es. Si por alguna circunstancia extraña toda la Humanidad se pusiera de acuerdo con que podemos atravesarla con la mano, así sería. Llegará un momento, en un **Mundo en Red**, en el que toda la Humanidad dejará de creer en el arquetipo de padre castrador, y a partir de ese momento no conoceremos límites a nuestra creatividad. Mientras, podemos intentar dar pequeños pasos para ir recuperando nuestro poder.

¿Cómo? Cada vez que te pones límites, que te das cuenta de que alguien te impide hacer algo, o que dependes de otro para llevar a cabo tus deseos, o cuando opinas que el mundo está mal, o que la felicidad depende del amor que otro te dé, o crees en ángeles que te pueden ayudar, o espíritus malvados que van a por ti, o extraterrestres que experimentan con nosotros, o que existe una comunidad de ricos que nos controlan, o que los alimentos están envenenados, o que las fuerzas del mal son poderosas, o que dependes de la misericordia divina, o de la de tus clientes, o de tu jefe, o que no tienes dinero para hacer lo que quieres,... Para y vuelve tus pensamientos hacia ti. Deja de atribuir externamente las circunstancias de tu vida y del planeta, y examina primero tus **Miedos del Ego,** y en segundo lugar, qué estás **Proyectando.**

Techo del Ego:
atribución externa = culpa = separación

Cualquier atribución externa, sin excepción, es síntoma de culpa. Cualquier culpa es separación y te limita. Cualquier separación es vehiculizada por la energía masculina. **Atravesar el Techo del Ego** implica dar un salto de consciencia, desde la **Era del Comercio** a la **Era del Ser.** Para **Vivir desde el Ser** y apoyarse sobre unas buenas bases saturninas, y no estar limitado por el **Techo del Ego,** hemos de recuperar nuestro poder personal, reconocer que creamos nuestra realidad y que los límites no nos los pone nadie. Sólo podemos **Atravesar el Techo del Ego** integrando todos los trocitos de nosotros mismos que hemos desperdigado por ahí.

Base del Ser:
atribución interna = empoderamiento = integración

Reglas, leyes y creencias

Para empezar a vivir en ciudades, para formar nuestro Ego individual, la creación y posterior interiorización de reglas y leyes ha sido un paso crucial en nuestro desarrollo como seres Humanos. Con el paso del tiempo, las normas repetidas generación tras generación se convierten en creencias que no se cuestionan. Ya hemos visto que cuando nuestras creencias entran en conflicto con otras más nuevas, la disonancia cognitiva contribuye a formar el **Techo del Ego.**

La interiorización de las reglas de convivencia, nos ha facilitado la convivencia y permitido intercambiar pensamientos, objetos, cultura, con otros individuos y grupos. La consolidación de un mundo globalizado con relaciones basadas en el intercambio ha generado una nueva comunidad Humana en la que todos estamos unidos por nuestras diferencias, y en la que las normas son aquellas que garantizan un intercambio fluido.

El resultado de la interiorización de las leyes saturninas es el desarrollo de una ética global y la posibilidad de crear una convivencia pacífica entre todas las comunidades e individuos del mundo. Una paz que es fruto de la necesidad de comunicación e intercambio por encima de todo. En un mundo globalizado nadie quiere guerras (dejará de haberlas por completo cuando integremos la culpa y dejemos de polarizarnos) porque en cuanto se produce un pequeño desequilibrio en el mercado de cualquier parte del mundo, esto afecta el resto. El bien común depende del bienestar de cada parte.

Ahora, una vez incorporado el valor de la ética, no precisamos de reglas externas para saber si lo que hacemos está bien o está mal. Ya nos podemos fiar de nuestro criterio.

Control y resistencia

Para **Vivir desde el Ser** no podemos poner el poder fuera. Pero el control propio y de los demás y las resistencias son igualmente contraproducentes. Saturno representa la rigidez, los límites, las normas y también el control. Cualidades que suelen ir muy unidas. El control es fruto de la culpa y contribuye al **Techo del Ego** al limitar el fluir de la energía y la información.

Controlar es limitar la expresión por creer en normas que se han de cumplir. Controlar es no estar abierto a las múltiples posibilidades que el futuro puede brindar. Controlar es no permitir que el presente se desenvuelva como lo hace. Controlar es no creer que cada momento es perfecto en sí mismo. Controlar es no aceptar el flujo de energía que activa las memorias celulares y brinda oportunidades de crecimiento. Controlar es no crecer y no crear. Controlar lleva a la resistencia, y ésta al sufrimiento. Ya vimos que el dolor (ver *El caso de Jesús de Nazaret*) puede ser necesario, pero el sufrimiento estanca.

El perfeccionismo y la crítica

Muy saturnino es creer que tienes que hacer las cosas bien o peor aún, perfectas. La autoexigencia nace de la culpa, de no creer que uno se merece nada bueno, de imaginar que sólo un padre todopoderoso puede otorgarte el reconocimiento divino, de una excesiva interiorización de normas caducas. El perfeccionismo se centra en el hacer y deja de lado el Ser. Ignorar el deseo del Ser genera separación, culpa, **Techo del Ego**...

Hacer las cosas con un alto nivel de exigencia implica poner el poder fuera, juzgar a los demás y tener un buen grado de dependencia. Es bastante evidente que con esta actitud es imposible atravesar el **Techo del Ego**. Querer hacer las cosas bien es creer que se pueden hacer mal. Se juzga o critica. El juicio implica que el poder está fuera y que se depende y mucho de él.

Mientras no integremos nuestras polaridades y sigamos concibiendo la existencia en función de bien y mal, sin reconocer la culpa subyacente y nuestro miedo a la separación, no podremos hacer un salto de consciencia.

La soledad y el aislamiento

Capricornio y su regente también simbolizan la soledad y el aislamiento. Esta trampa del Ego tiene truco. Cuando decides empezar a trabajar sobre tu desarrollo personal, tarde o temprano te puedes encontrar con que no tienes nada en común con las personas que te rodean, con tu familia, con tus amigos de siempre. Te puedes sentir raro (juicio, rechazo, culpa) o solo, chocar contra el **Techo del Ego**, y volver a comportarte como antes para seguir formando parte de tu clan. Pero crecer tiene mucho que ver con cambiar, y eso incluye las relaciones, como iremos viendo más adelante y como profundizaremos en el siguiente capítulo.

En este punto es frecuente, si se opta por seguir, el aislarse de las personas queridas y conocidas. Puede haber un aislamiento físico o una falta de comunicación. Iremos viendo que aquí la clave es unirse con personas nuevas afines. Pero ojo con formar parte de un grupo cerrado, con aislarse de los demás. El aislamiento es aislamiento, sea individual o en grupo.

Es muy frecuente que personas que realizan un trabajo "espiritual" (es por esto que prefiero hablar de desarrollo personal) terminen creyendo que son diferentes (más bien, mejores) que los demás. Pero recuerda que separarse de otros implica que hay culpa. ¿Culpa quizá de separarse de familiares o amigos?

Lo normal es que, si tú cambias, de manera natural tu entorno y tus amigos cambian. Si te resulta difícil separarte de las personas que conoces y a la vez sientes que te lastran, es que todavía hay cosas que has de aprender sobre ti, y ellos te lo pueden mostrar. Analiza entonces tus **Proyecciones**, y por supuesto tus miedos. Intégrate y no te separes.

Así que, si te sientes solo, diferente, especial, mejor o separado de los demás, por el motivo que sea -por lo que piensas tú o por lo que dicen otros-, te toparás con el **Techo del Ego**. En este sentido, los maestros o gurús lo tienen muy complicado. Al igual que los actores o estrellas famosos, las cientos o miles de miradas de sus seguidores y alumnos otorgándoles el poder de su salvación pueden llevarles a sentirse especiales (que no singulares), con poderes y con control sobre los demás. Como ya vimos al hablar del ejemplo de Jesús, el batacazo contra el **Techo del Ego** puede ser muy duro en este caso.

El tiempo

Saturno era el equivalente romano del dios griego Cronos, regente del tiempo. Creer o sentir que no tienes tiempo, que hay que cumplir un horario, que hasta que no llegue el día en que suceda X no podrás dar el siguiente paso en tu vida, te planta de bruces contra el **Techo del Ego**. Vivimos cumpliendo horarios, con el reloj a cuestas, limitándonos con el paso cada vez más fugaz de las horas y los días, y sintiendo que nunca llega el momento para...

Nuestra experiencia del tiempo está completamente ligada a factores externos: relojes, horarios de apertura, fechas límite, plazos, épocas históricas. Nos cronometramos, decidimos si somos mejores o peores según el tiempo que invertimos, y queremos hacer cuántas más cosas posibles en el tiempo que nos limitamos a priori.

Antes de inventarnos estas restricciones cronológicas el tiempo se vivía de otra manera más interna. Las comunidades se sintonizaban con los flujos de la naturaleza. El palpitar del tiempo a través de las estaciones y la Luna estaba sincronizado con el latir de sus corazones y el ritmo de sus ciclos vitales. No había una concepción separada del tiempo, sólo consciencia de ritmos.

Al otro lado del **Techo del Ego**, el tiempo se vive de otra manera muy diferente a la actual.

Hemos visto la importancia de crear un Ego maduro, y que el **Techo del Ego** capricorniano viene a ser como la tapa del horno canceriano. Este límite ha servido nuestro proceso de individualización y de interiorización de normas para integrar una ética Humana. Ahora que ya vivimos en un **Mundo en Red** nos toca atravesar el **Techo del Ego** para **Vivir desde el Ser**.

ATRAVESANDO EL TECHO DEL EGO

Vivir desde el Ser implica un salto de consciencia, pasar de la influencia de la **Era del Comercio**, de energía masculina (dividir, actuar y pensar), a la **Era del Ser**, de energía femenina (unir, crear y sentir). Durante las siguientes décadas la Humanidad realizará una transformación radical, desde nuestro punto de vista, ya que hace unos cinco mil años que no cambiamos de Era. Poco a poco iremos cerrando ese capítulo que ha durado algo más de cinco mil años, basado en miedos, que ha servido para individualizarnos, y terminaremos de cocer nuestro Ego, y cuando esté maduro, atravesaremos el **Techo del Ego** y crearemos una nueva estructura basada en la coherencia personal y global.

No es que la Era anterior fuera inherentemente mala, sólo que nos ha parecido dura porque dar a luz y criar al Ego es un proceso difícil, plagado de resistencias y miedos. No nos gusta la separación porque nos da mucho miedo la soledad y tener que valernos por nosotros mismos. Sin embargo, gracias a nuestra individuación, en la **Era del Ser** aprenderemos a conectar con lo más elevado de nosotros, con nuestra alma, nuestra intuición, y sin que interfiera el Ego, podremos canalizar información y crear desde nuestra intención.

No lo haremos solos (aún no toca), sino en unión con otras personas afines con las que colaboraremos para el bien común, desde lo mejor de cada uno. Cuando **Vives desde el Ser,** estás conectado con tu esencia en un estado de coherencia interna. Sabes lo que necesitas, y lo que tienes que hacer. Elijes el camino siguiendo tu intuición. El lenguaje del Ser es simple y claro. Cuando algo conecta con tu Ser, sabes que esa información "es". No hay dudas. Lo sabes.

Hasta alcanzar un punto de **Masa Crítica** (10%), aquellas personas que atraviesen el **Techo del Ego** lo tendrán que hacer de manera consciente, a través de la intención de trabajar sobre su desarrollo personal. Pero el trabajo de unos servirá la labor de los siguientes, que cada vez encontrarán más natural realizar el cambio. Esto es porque la información empaquetada sobre el salto de consciencia de los primeros estará disponible para los demás, porque aquellos, al estar operando desde la energía femenina, vibrarán más alto y por tanto afectarán a más gente (ver *Coraje para soltar el pasado*). Además, cuando vives desde el Ser puedes ver y conectar con el Ser del otro. Cuando alguien reconocer tu Ser, se abre en ti tu conocimiento. Me encanta ese momento en la película "Avatar" en la que los protagonistas se dicen, "Te veo".

> **"Te respeto, te saludo, te honro, te reconozco,**
> **te recibo, me conecto contigo.**
> **Veo tu alma, tu verdadera esencia.**
> **Veo quien realmente eres".**

No es personal, amplía tu visión

Desde el Ser toda vida es de servicio, porque el Ego maduro está siempre en modo "dar". El servicio se da de forma impersonal, porque brota de ti. No puedes evitar expresar tus talentos. No es personal porque no esperas nada a cambio de nadie.

El Ego inmaduro, que está aún en modo "dame", se toma la vida muy personal. No reconoce que lo que le sucede es fruto de una proyección de él mismo, sino que cree que los demás le hacen cosas y él es la víctima. En realidad, el otro no es más que tu mensajero -igual de inconsciente que tú- que te da el mensaje pactado desde el Ser para que te reconozcas (ver *Relaciones desde el Ser*).

Para no tomarse las cosas de manera personal, sirve ampliar tu visión. Viajar por el mundo, conectar con la maravillosa amplitud y belleza de la Naturaleza de este planeta, prestar servicio a colectivos, ayudar en una asociación; son acciones que amplían la visión de nuestro pequeño mundo, ayudando a reducir nuestro egocentrismo ingenuo. Conocer otras visiones del mundo, otras culturas, diferentes filosofías, religiones, etc., igualmente sirve este propósito. Leer este libro espero que también. Tener curiosidad, preguntar, investigar son además maneras proactivas de ampliar la mente.

Perdón, redención o comprensión

Vimos cómo la culpa refleja y mantiene nuestra separación, y la importancia de soltarla para poder empezar a realizar un trabajo introspectivo. La culpa es miedo, porque separa, y el perdón es amor, porque integra. Pero no es amor el "yo te perdono" *(ego te absolvo)*, una postura desde donde ves al otro como separado de ti, y te postulas, aunque sea inconscientemente, como quien puede otorgar ese don divino. Eso no es amor porque no te reconoces en el otro, sino que te distingues, percibes la separación entre tú y el otro.

No se trata de "perdonar a mi madre" porque no supo cuidarme debido a que, a su vez, a ella el trataron mal sus padres. Si la perdono desde esa posición, estoy presuponiendo que ella está fallida y que además no es capaz de ver su error. Esta visión además de separar, resta dignidad al otro.

Tampoco es "yo me perdono a mí mismo" por haber hecho ese juicio, sin realmente haber comprendido que todo lo que ves en el otro es tuyo. No existe el otro. No te relacionas con nadie más que contigo mismo. Por eso, perdonar desde este punto de vista implica siempre una separación: "tú me hiciste", "yo te hice". Cuando en realidad es "yo tengo la ilusión de creer que hay otro y de que entre nosotros no hay amor".

Quizá la palabra redención se acerca un poco más, ya que implica la liberación de la culpa y el dolor. Pero sigue siendo un término con connotaciones subjetivas, y por tanto personales y que implican separación. ¿Quién redime a quién? Si acaso la redención entendida como efecto de una comprensión más amplia de la situación se acerca más al verdadero perdón. Dicho esto, creo que hay que tener cuidado con la terminología religiosa, sencillamente porque son palabras que han sido utilizadas tantas veces a lo largo de los siglos que poseen ya una inercia energética difícil de vencer.

Para mí el verdadero perdón es aquel que trae auténtica paz a tu corazón, y es fruto de una comprensión tan amplia de lo sucedido que te permite ver, sin ápice de duda, que la vida no es una ofensa personal, y que todo lo que te ha sucedido es lo que tenía que pasarte para que fueras quien eres, o mejor dicho, para que puedas reconocer quién eres. Por tanto, el perdón es una ampliación de la visión, donde ves que gracias a que tu madre te cuidó como te cuidó, o a que tu jefe te trató cómo te trató, tú te has convertido en quién eres, tú te has reconocido. Y es allí donde se encuentra la paz.

Es evidente que para poder sentirte bien con quién eres hoy, has de conocer tus miedos, soltar la culpa, no ser exigente contigo mismo, etc. Vamos, que hay mucho trabajo que hacer. Empieza ampliando tu visión y luego por los **Miedos del Ego**, después puedes seguir por las **Proyecciones**, para mí la mejor herramienta para acercarte a ti mismo. En el siguiente capítulo hablaré de ella.

Gratitud

Está muy bien esto de que dar las gracias se esté poniendo de moda. Ahora sólo falta que nos lo creamos de verdad. ¿Te has planteado de dónde viene este vocablo y qué significa realmente? La palabra "gracias" viene del latín *gratia* (honra, alabanza, reconocimiento de un favor), que a su vez deriva de *gratus* (agradable, agradecido). Además, estos vocablos tienen como raíz indoeuropea *gwere-*, que significa alabar en voz alta. La palabra inglesa "thanks" viene de la raíz indoeuropea *tong-*, que significa pensar, sentir. Mientras que el francés "merci" proviene del latín *merces*, y hace alusión al intercambio.

Dar las gracias es reconocer que lo que has recibido del otro, ya sea algo material o virtual, es bueno para ti porque te mejora, te eleva, aunque sea sólo por el hecho del ofrecimiento, y de vuelta, deseas que el otro también mejore, aumente su vibración a través del reconocimiento de su acción. Como el "Te veo" de Avatar, se trata de un reconocimiento mutuo.

Para dar las gracias tenemos que aprender a recibir, algo que nos cuesta en realidad bastante debido a la concepción que tiene nuestro Ego inmaduro de que somos seres separados con miedos. Imagina que una amiga te dice, "¡oh, me encanta tus pantalones!". Lo normal es que sientas incomodidad porque la vibración de la atención y la apreciación de tu amiga la sientes como demasiado elevada para poder sostenerla, así que contestas, "ah, ¿esto?, lo compré en el chino…". Al responder así te privas a ti y a tu amiga de elevar la vibración con el intercambio. O imagina que estás intentando reformar tu garaje y tu amigo se ofrece para echarte una mano, pero te sientes mal porque crees que le estarías molestando (¡cuando ha sido él quien se ha ofrecido!) y le dices que "no hace falta". Con lo enriquecedor que sería para ambos si das las gracias, trabajar en equipo, ¡y seguramente juntos tendréis mejores ideas para la reforma!

Dar, recibir, agradecer, es un acto de encuentro con el otro. Es una unión de fuerzas e intenciones. Es un reconocimiento del Ser en ti y en el otro. Es conectar de corazón a corazón. Es un aumento de vibración y es resonar con el otro. Así que recuerda esto la próxima vez que alguien te ofrezca o dé algo, o que te hagan un cumplido. Acepta el regalo, aprende a sostener ese aumento de vibración en tu cuerpo, y reconoce al otro dándole las gracias.

La palabra sánscrita "Namasté" (acompañada del mudra con las manos en posición de rezo), sirve tanto para dar las gracias como para saludar y rezar, pero su significado profundo hace referencia a presentarse ante el otro en un estado vacío "nada en mí", es decir, sin máscaras, sin expectativas, sin roles y sin intereses, reconociendo la esencia divina en uno y en el otro. En otras palabras, conectar de Ser a Ser.

> **"Honro aquel lugar en ti en el que habita el Universo.**
> **Honro aquel lugar en ti que es de amor,**
> **de verdad, de luz y de paz.**
> **Cuando tú estás en ese lugar en ti**
> **y yo estoy en ese lugar en mí,**
> **somos uno".**

Luego está la gratitud por la vida y todo lo que te ofrece. También en sánscrito, "shantosha" es un concepto filosófico que significa aceptación completa de lo que es. Es lo contrario a la resistencia, es sentirte cómodo y completo con lo que hay. Tomar una perspectiva no personal de la vida te ayuda a observar la magia de sus patrones. Todo sirve para algo, todo es perfecto, aunque cueste verlo desde el Ego inmaduro.

Todo es para algo

Desde el Ser descubres que la vida es mágica, que todo sirve para algo, que nada es casual. Estamos inmersos en una matriz de patrones que se despliegan en polaridades que experimentamos para descubrir quiénes somos y desde allí crear. Esta visión está muy alejada del pequeño Ego que aún se cuece en el horno canceriano, y por eso mismo, por mucho que se lea sobre nuestra capacidad para crear nuestra realidad, cuesta creerlo y mucho más manifestarlo. Desde luego, sin comprender la naturaleza de tus miedos primero, sólo tendrás experiencias contrarias a lo que deseas, porque la atracción del miedo es más fuerte que la capacidad de crear de un Ego que aún se identifica con ellos.

Así que te propongo que, para empezar, primero ponderes la posibilidad de que hay otra manera de vivir la vida que no es reactiva, y en la que descubres sincronías, "casualidades" y todo tipo situaciones asombrosas cuando compruebas que aquello que te sucede no son más que señales hacia tu interior para que puedas descubrir quién realmente eres, para *Vivir desde el Ser*.

Por ejemplo, estando en pleno proceso de transformación (uno de tantos), se me inundó la casa y a los pocos meses, también el local, además en el día de mi cumpleaños, y encima me hice daño en la espalda mientras achicaba agua. Estoy acostumbrada a buscar interpretaciones alternativas, me apoyo en el lenguaje de los símbolos y la astrología para comprender mejor qué energías se están moviendo. Acepté la situación (shantosha), y me di cuenta de que la vida me estaba diciendo que mis bases (psicológicas, emocionales, vitales) se estaban disolviendo (y las nuevas empezaban a crearse). En ese mismo momento no comprendí más, pero lo acepté. El regalo empezó a llegar unos meses después, y su fruto es este libro.

Te invito a que amplíes tu punto de vista, a que contemples la posibilidad de que la vida no es personal, a ver que todo camino te lleva al centro de ti mismo. Experimenta. Ten curiosidad. Prueba con pequeñas cosas, pequeños contratiempos. Intenta ser agradecido a la vida y buscar una interpretación diferente: ¿para qué me sirve esta experiencia? Si quieres, busca simbolismos en un diccionario de sueños. Al fin y al cabo, esto que llamamos vida no es la realidad, sino sólo un sueño del Ser que experimenta en la dualidad de la materia. No hace falta que te estrujes los sesos para hacer este ejercicio, no te obsesiones buscando significados, sólo pon la intención en que quieres aprender a ver la vida de otra manera y descubrir qué mensajes te trae. Después, deja que todo siga su curso, las respuestas ya vendrán.

Empodérate y sé proactivo

En la **Era del Ser** el aprendizaje que toda la Humanidad hará será en el nivel de la consciencia de la Voluntad, y se resume con la frase, "Yo soy, Yo puedo". La clave para **Vivir desde el Ser** es dejar de poner el poder fuera (como vimos al hablar del *Techo del Ego*) y darte cuenta de que tú eres el centro de todas tus experiencias, pero no como víctima (modo "dame") sino como creador (modo "dar").

Entonces, deja de tener sentido el quejarse de los demás, de las circunstancias o de que te falta tiempo. Todo, absolutamente todo lo que te sucede, lo creas tú. Sí, aunque sea horrible e injusto. Una enfermedad te habla de conflictos no expresados, en ti y en tu familia. Un cáncer te dice que el foco de tu atención está fuera de ti, en los demás, en lo que piensan de ti, en tu imagen, en tu trabajo, mientras que tu Ser pide a gritos que te conectes. Un problema con una relación personal sólo es un conflicto contigo mismo porque no quieres escuchar tus propios mensajes. Si además es una relación de pareja, es un curso de evolución acelerado, y si es con los padres, el aprendizaje es para master. Y los hijos, son unos grandes maestros. Escúchalos. Da las gracias a todos. Hablaré más en profundidad sobre las relaciones en el próximo capítulo.

Sé proactivo y no reactivo. El conferencista internacional de origen argentino **Roberto Pérez**, que dedica su trabajo al desarrollo personal, a la comunicación y trabajo en equipos, y a los valores de liderazgo integral, define cuatro niveles en el desarrollo de la consciencia. Los primeros dos son reactivos, y reaccionan ante las circunstancias de la vida. No tienen iniciativa. Son la inconsistencia y la inmadurez.

Las personas inconsistentes son aquellas que se quejan de todo lo que les sucede, como si fuera un ataque personal; la indiferencia, la insatisfacción y la inseguridad son las reacciones que les caracteriza. Los inmaduros han asumido las normas sociales, pero no las han integrado. Ponen énfasis en el cumplimiento, en la obediencia y en la obligación, pero son los primeros en no cumplir. Parecen integrados en la sociedad, pero son igualmente reactivos.

Luego están las personas proactivas, que han hecho un salto cualitativo de consciencia. En vez de esperar a que las cosas sucedan y luego reaccionar, toman las riendas de su vida y se ponen en marcha. El tercer nivel es el de la consistencia, y es el de aquellos que de alguna manera han empezado a materializar un cambio en su vida. Les caracteriza la confianza en sí mismos, se sienten empoderados, la convicción de que lo que están haciendo es lo que tienen que hacer sin necesitar que nadie les apruebe ni les de su beneplácito, y el compromiso consigo mismo es ya firme. Su vida ya no depende de factores externos.

El cuarto nivel es el de la misión. En este punto la vida deja por completo de ser personal, se conoce bien cuál es la misión de vida, y la entrega hacia la consecución de esos objetivos para el bien común es completa. Se tiene una visión de futuro clara, que funciona como ancla para dirigir las acciones, y la energía para alcanzarlo nunca se agota. Hay un sentimiento de plenitud.

No hay límites

Desde el Ser te das cuentas de que lo único que te limita son tus creencias, aquellos dictados o sentencias programados en tus memorias celulares, la mayoría de las cuales jamás te has planteado. En este paquete podemos encontrar la impronta, los dictados religiosos, las reglas culturales, las leyes y las tradiciones familiares. Son tan fijas nuestras creencias que el mero hecho de planteárselas para muchos supone un gran tabú. Si no tuviésemos reglas, piensan, esto sería un caos, cada uno haría lo que quisiera, y no habría quién pudiese poner orden.

Pues bien, resulta que está más que comprobado que un exceso de reglas, leyes demasiado estrictas, o creencias fijas producen el efecto contrario al que pretenden. Niños educados con rigidez, son adultos que luego se saltan las normas. Un exceso de legislación o leyes imposibles de cumplir fomentan el mercado negro. Demasiadas señales y regulación de tráfico producen más accidentes que, por ejemplo, cruces en los que se retiran las señales y las personas han de fijarse más para coordinarse con los otros conductores. Así pues, si bien es importante interiorizar ciertas normas para una mejor convivencia, para que todos "hablemos" el mismo idioma comportamental, depender de ellas, creer que son inamovibles, seguirlas al pie de la letra es lo que verdaderamente lleva al caos. Y lo mismo sucede con las normas y creencias internas.

La solución: Un Ego maduro comprende que el mundo lo comparte con otros seres humanos. Que todos estamos en esto juntos. Que todos hemos sufrido y tenemos memorias de traumas y separación. Que todos hacemos las cosas lo mejor que sabemos y podemos. Que la mayoría de la gente es buena, y el que no lo es, es porque se ha desconectado de sí mismo para no sufrir y siente un gran vacío interior. Que todos queremos sentir paz y amor.

Por eso, "Trata a los demás como quieres que te traten". No intentes cambiar a otros para que te den lo que quieres, cambia tú para ver cómo tu mundo cambia como respuesta. Y el cambio que tienes que hacer es en tus creencias. Ellas son las que te limitan. Nada más. Aprovecha el conocimiento de tus miedos para descubrir tus creencias limitantes: ¿te da miedo la abundancia porque crees que luego has de pagar un precio por ello? ¿Temes amar por si te pueden rechazar si no eres lo suficientemente bueno? ¿Te frenas en hacer algo por miedo a no conseguirlo?

Aunque cueste creerlo desde nuestro punto de vista actual, si todos maduramos nuestro Ego, desarrollamos un sentido ético de comunidad global, nos empoderamos y ponemos nuestros talentos al servicio de los demás, la empatía, el deseo de hacer algo por el bien común, el amor por la Humanidad es la consecuencia natural. No es un sueño utópico, no es una ilusión, es ya una realidad. Miles de jóvenes que se han criado con internet, en un **Mundo en Red**, no conocen la palabra "imposible" y están desarrollando proyectos efectivos de ayuda a los demás, ¡sencillamente, porque pueden! Como sienten que pueden, lo hacen, y su mayor satisfacción es ver que realizando algo que se les da de manera natural, pueden ayudar a tantas personas. Esto es **Vivir desde el Ser**.

Coherencia interna

Cuando Vivimos desde el Ser no necesitamos reglas y leyes que encorseten nuestra conducta, no precisamos de un orden externo porque tenemos un orden interno. A esto se le llama coherencia interna, que es cuando lo que sientes, lo que piensas y lo que haces está en resonancia. Una persona coherente, es ética, empática y Humana. No necesita reglas externas porque necesita relacionares con los demás desde el corazón. Seguir el dictado de un corazón abierto ordena a la persona, a sus relaciones, a la sociedad y al mundo.

El **Instituto Heart Math** (HMI) de Estados Unidos, ha desarrollado técnicas para facilitar el estado de coherencia, con el fin de conseguir una mayor eficiencia psicológica y mayor empatía en el individuo. El HMI explica que cuando estamos estresados, tenemos pensamientos negativos, el cuerpo pierde su armonía interna, la sincronización entre el corazón y los sistemas nervioso, endocrino e inmune, se bloquea e inhibe el córtex. En contraste, los pensamientos positivos ayudan a crear armonía entre el sistema nervioso y el ritmo cardíaco, desbloqueando el cerebro y armonizando el resto del cuerpo. Este estado de coherencia además propicia la claridad mental y una mejor toma de decisiones.

El HMI va un paso más allá y explica cómo la coherencia cardíaca favorece la relación y coordinación entre las personas, un estado de armonía y fluir, ayudando a que aflore lo mejor de cada uno a través de relaciones genuinas y auténticas. En un estado de coherencia cardíaca, o lo que es lo mismo, cuando uno Vive desde su Ser, la intuición se activa y resulta mucho más fácil alcanzar soluciones creativas para los retos personales, sociales y globales. El HMI tiene un precioso vídeo en Youtube ("The Heart's intuitive intelligence - subtítulos en español", duración 7'20") en el que explica en qué consiste el estado de coherencia cardíaca y cómo puede mejorar nuestras relaciones personales y nuestra relación con el mundo entero.

Percepción sensible, más allá de los límites del cuerpo

Desde el Ser, desde el estado de coherencia cardíaca, descubres que tu cuerpo físico no es el límite de tu experiencia. La empatía aumenta y te haces consciente de tu sensibilidad ante las personas que te rodean y el mundo. No es que "te afecte", "sientas pena" o "sufras" por los demás y quieras "quitarles" su dolor. Es que vibras con los demás y con la naturaleza, sientes en tu cuerpo lo que sienten los demás. Además, tu percepción sensible se amplía más allá de tu cuerpo, facilitando un estado de comunión con lo que te rodea. El impulso entonces no es de "arreglar" lo que está roto fuera (si sientes esto, deberías primero ver qué te da miedo y luego qué estás proyectando, que necesitas "arreglar" en ti), sino de querer estar en armonía con lo que te rodea. Es un deseo de sinergia, de ampliar la coherencia interna a todo lo que te rodea.

La consciencia de la percepción sensible implica también abrirse a sentir la realidad del mundo intangible, que incluye no sólo los pensamientos de los demás y sus emociones, sino también el mundo energético y de la información que contiene.

Manejando la Energía

Más allá de las emociones y de los pensamientos, o mejor dicho, antes de estos, están las energías, o energía con información. La realidad energética es lo primero que percibimos, pero no somos conscientes de ella porque rápidamente entra la mente para generar su propia información, y sus propias emociones en cuanto la captamos.

La energía se percibe como un zumbido inaudible, o se siente como un movimiento, o se ve como una malla que todo lo une. También se puede reconocer a través de sensaciones en el cuerpo, como una leve sacudida, un escalofrío, una vibración, un movimiento, con calor, o internamente como una sensación que se expande... O de muchas otras maneras...

La energía lleva información que se puede leer y se puede reprogramar a través de la intención. De hecho, la sanación cuántica -Método Yuen, Método Thurne, Theta Healing, Psych-K, Kinesiología del Alma, etc.- consiste precisamente en leer, mover y reprogramar la información en la energía. En estos casos, la "lectura" se realiza mediante el testaje kinesiológico, el movimiento se hace física o imaginariamente, y la reprogramación mediante la intención. El único requisito para el éxito en la reprogramación es estar centrado y neutro, y acertar con exactitud la creencia "errónea". Para ello, estos métodos se basan en protocolos que permiten afinar con bastante precisión.

Esto mismo es lo que hacen los chamanes desde tiempos inmemoriales. La única diferencia con su "magia" es que ellos pueden leer directamente las energías. Su sensibilidad de lo sutil es tal, y su entrenamiento la apoya, que directamente ven, sienten y oyen la información que se transmite sobre las energías. Esta misma sensibilidad es la que poseen las personas diagnosticadas con esquizofrenia, pero al no contar estos con una educación que favorezca su talento, terminan atiborrados de medicamentos y suprimiendo sus dones.

Brujas y magos tradicionales también son capaces de leer y manejar las energías, aunque al "contaminarse" por la sociedad patriarcal y sus presiones, terminan perdiendo la inocencia y la humildad, que son la base para poder seguir manejando las energías y la información que transmiten.

La energía se maneja, pero no se puede manipular. Desde la inocencia y la humildad, desde la pureza, la energía se intenciona con amor, pero no se puede dirigir o manipular. Esto es así porque intentar manipular, controlar, dirigir mentalmente la energía solo logra que esta se densifique y deje de fluir. El chamán solo maneja la energía con la intención, y el "enfermo" o receptor, es quien la recibe y la "manipula".

Otro ejemplo de manejo y manipulación de las energías lo encontramos en la relación entre el mago y el aprendiz. Aquel seguramente pudo manejar las energías cuando era aprendiz, pero la necesidad de controlar lleva a la desconexión de esta vivencia que requiere de sensibilidad y entrega, y por tanto de inocencia y humildad. Al intentar controlar la energía, deja de poder hacer su "magia", y por eso necesita al aprendiz, quien le "ofrece" su energía "por amor" (por cualquier tipo de atención: respeto, odio, deseo). Ahora el mago es el que dirige o manipula la energía hacia objetivos personales y egoístas. Los aprendices, cegados por la ilusión de poder y por su desconfianza en sí mismos, dan la energía que manejan sin contemplaciones para fines que normalmente desconocen.

Esto mismo es lo que sucede en la actuación de un mentalista. El público, admirado, entrega su energía por amor al mentalista, quien la maneja para crear sus ilusiones. Y también podemos ver la misma dinámica a diario en las noticias. Los ciudadanos entregan crédulos su energía a los dictados de los medios de comunicación (quienes manipulan esa energía), creando así una realidad que en verdad antes no existía. Ya lo decía el encargado de la propaganda de Hitler, Joseph Goebbels, "una mentira repetida mil veces se convierte en una realidad".

Así pues, la próxima vez que escuches una noticia sobre terrorismo, guerras, desfalcos, corrupciones o asesinatos, plantéate si deseas realmente entregar la energía que manejas para que sea manipulada de esa manera. Ante este tipo de noticias, sugiero hacerse consciente de dónde o a quién se entrega la energía, y luego elegir ofrecerla "únicamente a los fines más elevados posibles", desde un estado de amor incondicional (todo es perfecto en este momento, aunque no sepas por qué).

Desde el Ser, percibimos las energías, pero no nos polarizamos al leer su información. No entregamos la energía que manejamos a nadie, porque no creemos en las jerarquías. Es decir, al no poner el poder fuera, está disponible para intencionarla, siempre para los fines más elevados posibles. Desde el Ser se fluye con la energía y se vive cómo todo está conectado y forma parte de una unidad. La vivencia de separación desvanece y se consigue por experiencia reconocerse uno en todo lo que le rodea. Se vivencia la unicidad con el mundo. Ya no hay nada separado. Y no es esto un mero concepto intelectual.

Luke, yo soy tu padre. Esta es la frase que resume la escena más famosa de las Guerras de las Galaxias, y no es casualidad que haya calado tan hondo en la consciencia colectiva. Por simple que parezca, esos cinco minutos de la película representa todas las energías del zodíaco, y por tanto, todos los movimientos de la consciencia en su desarrollo. No voy a entrar aquí en profundidad, pero dejo algunos detalles: está la búsqueda, el encuentro con la sombra, la lucha, la tentación del lado oscuro, el reto del **Techo del Ego** en la forma de Darth Vader tentando a Luke para unir fuerzas (mago y aprendiz) y ordenar el Universo. Cuando aquel dice "yo soy tu padre", y Luke no quiere aceptarlo, aquel le pide, "busca la Verdad en tu corazón" (conecta con tu intuición). Pero el protagonista escinde su conexión con el padre (Darth Vader le corta la mano derecha) y se libera, saltando al vacío (salto de fe) y queda colgado debajo de la ciudad colgante. Mediante la telepatía (comunicación sutil a través de las energías), Luke llama a su hermana Leia y es rescatado por el Halcón Milenario que se posa debajo de él (la nueva base tras el salto de consciencia).

Coraje para soltar el pasado

Para **Vivir desde el Ser** se ha de tener el coraje de soltar todo lo que antes te sostenía, todo lo conocido, tus creencias y hasta las relaciones. Como en la escena de las Guerras de las Galaxias, Luke da un salto al vacío, al superar la tentación de Darth Vader, quien dice que juntos serán invencibles, invitándole a poner el poder fuera. Tenemos tanto miedo a la separación que no creemos que solos podemos estar completos, cuando en realidad cuando estamos realmente con nosotros mismos, es cuando descubrimos que no hay nada que nos desconecta de los demás… Nada excepto nuestros pensamientos.

Es una paradoja. Tenemos miedo a soltar lo conocido, a soltar las relaciones más cercanas e íntimas, cuando en realidad estamos separados precisamente por los pensamientos que acompañan a nuestros **Miedos del Ego**. Y sólo cuando tienes el coraje de soltar las relaciones, y también las creencias y las cosas, es cuando puedes descubrir que estás totalmente conectado a toda la vida.

El **Dr. David Hawkins** descubrió que las emociones humanas vibraban a diferentes frecuencias, testándolas mediante la kinesiología, y elaboró una pirámide invertida que va desde la Vergüenza, que vibra a nivel de 20, hasta la iluminación, con una vibración entre 700 y 1000, en una escala de progresión logarítmica, es decir, de aumento exponencial y no constante.

Según esta escala, que él describe detalladamente en su libro "El Poder contra la Fuerza", las personas que vibran con emociones por debajo de 200 viven a la fuerza, es decir, de manera reactiva. Así, las más bajas, la Vergüenza (20) y la Culpa (30) son hasta deficientes con la vida, mientras que la Apatía (50), el Sufrimiento (75), el Temor (100), el Deseo (125), la Ira (150) y el Orgullo (175) lo son con la sociedad. Por encima de 200, aparecen las personas que aportan a la sociedad con su energía. De hecho, si vibras a 310, el nivel de la Disposición o Voluntad para ayudar a los demás (de manera impersonal), sólo tu presencia afecta positivamente a 90.000 personas, mientras que la persona iluminada (que vibra entre 700 y 1000) influye sobre 70 millones de personas.

A nivel de 200 vibra el coraje, la línea crítica que distingue las influencias negativas de las positivas de la vida. A partir de este nivel sucede la consecución del verdadero poder personal –cuando antes sólo había fuerza-. Es el nivel del empoderamiento, desde el cual la vida es vivida como algo emocionante, provocativo y estimulante. El Coraje implica la voluntad de intentar cosas nuevas y lidiar con los cambios y los retos en la vida. Se aprovechan las oportunidades que ésta brinda con optimismo. Se reconocen los miedos y condicionamientos, y se trabaja en desarrollarse personalmente. La ansiedad ya no provoca un efecto de inhabilitación, y los obstáculos se convierten en un estímulo. A este nivel se devuelve a la sociedad tanta energía como la que se toma.

Reinterpretando el bajón energético

Sucede un fenómeno curioso cuando saltas del nivel reactivo al proactivo, cuando pasas de orgullo a coraje, es decir, cuando dejas de vivir a la fuerza para empoderarte, o lo que es lo mismo, cuando estás a punto de atravesar el **Techo del Ego** para empezar a **Vivir desde el Ser**. Antes de dar un salto de consciencia, se llega a un punto de baja energía, en el que uno se siente débil y es muy vulnerable...

Es el momento en una depresión en el que tocas fondo, es una enfermedad o un estado bajo de salud en el que no tienes fuerzas, es una gripe que te deja sin vida y sin poder pensar. Si en estos momentos te permites sentir tu vulnerabilidad y te entregas a un orden mayor, a una realidad que no puedes percibir ni controlar, tienes la oportunidad de dar un salto de consciencia. Pero desgraciadamente, lo más frecuente es que suceda algo que sientas como una amenaza y reacciones como lo has hecho siempre, en base a tus condicionamientos y a tu modo "dame". No has podido sostener aún tu vulnerabilidad porque tus **Miedos del Ego** han pesado más. Toca seguir revisando y conociéndote hasta la próxima oportunidad.

Pero, ¿por qué sucede así? ¿Por qué ese bajón energético? Pues en realidad la pregunta debería ser, ¿por qué gastamos nosotros tanta energía? Saltar a otro nivel de consciencia implica aumentar tu capacidad sensible para percibir una realidad de una complejidad mayor (si el lector quiere leer más sobre esto, recomiendo el libro de "La inteligencia planetaria" de **Eugenio Carutti**). Al mismo tiempo, el no estar cogiendo energía de la sociedad o de las demás personas, y por tanto, no disponerte a que otros hagan lo mismo contigo, te abre a una fuente de energía más universal que no sientes la necesidad de poseer, de retener, sino que canalizas y difundes a los demás. Es por esto que, a mayor vibración, según Hawkins, más influenciamos a los demás y menos "robamos" de la sociedad. Recomiendo al lector los libros de **James Redfield**, y en concreto "La undécima revelación", en la que detalla las maneras en las que las personas nos alimentamos energéticamente de otros.

Cuando enfermamos o nos deprimimos, o experimentamos ese bajón energético, tenemos una oportunidad para entregarnos a una realidad más amplia, atravesando el **Techo del Ego,** pero no nos dejamos. En primer lugar, nos resistimos a sentirnos mal, cansados, inútiles, por culpa y por vergüenza, y respondemos con un estado contractivo de mínima vitalidad. Pero si aceptamos este estado, y nos dejamos experimentar la vulnerabilidad y la entrega, vemos cómo atraemos rápidamente situaciones que nos "obligan a reaccionar como siempre", a defendernos. Esta falta de confianza, resultado de memorias celulares y miedos que aún pesan demasiado, hace que nos cerremos a la energía universal, y volvamos a nuestra vieja costumbre de querer acumular, retener y controlar el flujo de energía a través de la atención y del deseo de que las cosas sean como queremos que sean.

Aún no somos capaces de confiar en la Vida porque malinterpretamos las sensaciones derivadas del manejo y de la manipulación de la energía (ver *Manejando la Energía*). Creemos que sentir su acumulación nos hace fuertes y poderosos, y que permitir que fluya y hacer de canal nos hace débiles y susceptibles. Pero retener energía es insostenible.

Podemos comprender esto con un claro paralelismo externo de nuestra relación con la energía. Nuestro modo de vida occidental comprende un uso abusivo de los recursos y de la energía, hasta tal punto que nuestra avaricia por tener y poseer nos lleva a un camino en el que pronto encontraremos el límite a ese abuso, muy a nuestro pesar. Pero ya nos estamos dando cuenta de que se puede vivir de una manera mucho más sostenible y autosuficiente, usando transportes públicos o ecológicos, cultivando nuestros propios alimentos o consumiendo productos km 0, reciclando, aprovechando las energías verdes, comprando menos cosas.

Esta relación más sostenible con los recursos nos hace más sensibles a la vida, a la naturaleza y a las demás personas. Mucho más que la vorágine consumista, prepotente e insensible que sólo refuerza la inmadurez del Ego, la separación, la ansiedad, el miedo y la ira.

Como la vida no es más que una proyección de nuestro interior, no sólo es cierto que los cambios internos afectan a los externos, sino que lo que hacemos en el mundo a la vez, aun inconscientemente, son cambios que también realizamos en nuestro interior. Por eso, una buena práctica para poder atravesar el **Techo del Ego** es aprender a vivir de manera más sostenible, respetar la naturaleza, disfrutar de ella, cultivar una alimentación más saludable y natural, con menos cantidad de carne, reciclar, caminar o ir en bici más... Ello te ayudará a cambiar, a aumentar tu sensibilidad y a aceptar tu vulnerabilidad, requisitos necesarios para atravesar el **Techo del Ego**.

Fluir sin expectativas

A partir de que uno empieza a soltar los apegos a las creencias, a las relaciones y las cosas, incluso al propio cuerpo y sus somatizaciones, se comienza a fluir con la vida sin resistencias. En su libro de "Los Ascendentes en astrología", el astrólogo **Eugenio Carutti**, al hablar de Sagitario, precisamente el signo que habla de la ampliación de la mente, de la percepción sensible y de la síntesis de las polaridades, compara su energía con el momento en el que la consciencia comprende la vida como un río que fluye. El agua que corre hacia el vasto océano como claro destino es a la vez maleable, ya que está a merced de la gravedad y de los obstáculos del terreno, pero es también fuerte y guía a los barqueros que sobre ella deciden navegar. El río, al igual que la energía de la vida, siempre fluye, aunque lleve dentro de sí animales muertos, pero acepta igualmente su destino si algo impide su cauce y las aguas se estancan en superficie, filtrándose al subsuelo.

Fluir sin expectativas es algo que nos cuesta, no sólo por los apegos y condicionamientos más visibles u obvios, sino también por el apego que tenemos hacia los resultados. Nos resulta muy difícil aún dar, desde lo mejor de nosotros, sin pretender recibir nada a cambio, ni siquiera un reconocimiento. Cuando hacemos algo, de alguna manera u otra nos hemos condicionado para esperar un resultado. Pero desde el Ser se opera desde la intuición y con la intención, y no desde el deseo y con la voluntad, y es que, recuerda, las energías se manejan, pero no se manipulan.

Que tienes algo muy interesante que enseñar a los demás, pon la intención en ofrecer tu conocimiento, pero no te ocupes en conocer el resultado de tus enseñanzas. Que eres un terapeuta y quieres ayudar a alguien, pon la intención de dar lo mejor de ti y tus conocimientos según la persona te pida, pero no pretendas curarla ni sanarla. Que deseas compartir tu amor…, no esperes nada a cambio. Ni siquiera si quieres comunicar con alguien. Pon la intención en lo que deseas, pero desapégate de los resultados y luego deja que tu intuición te guíe.

Céntrate en sentir y no en hacer

Somos lo que somos a pesar de lo que hacemos. Estamos tan habituados a reaccionar haciendo/pensando que no llegamos a percibir sensiblemente de verdad, como ya expliqué en el capítulo anterior al hablar de la mente como mecanismo de defensa. Aprende a escucharte, a sentir lo que ocurre en tu cuerpo, sin reaccionar. Aprende a percibir lo sutil, las energías, sin hacer nada, sin pensar. Esto te ayudará a conectarte contigo mismo, a ser más coherente, y a que, cuando des, lo hagas desde el corazón.

Desde el Ser doy en respuesta sólo de la demanda, y doy desde lo mejor de mí, desde mi corazón, con mi mejor intención, y sin esperar resultados. Doy por el hecho de dar, con pureza de intención y con inocencia. Doy sólo cuando me lo piden, sin imponerme, sin desear cambiar nada ni nadie, sólo ofreciendo lo que en ese momento nace de mí de manera sensible.

Únete a otros

En un **Mundo en Red** nos unimos a otros sin expectativas y generando sinergias. La colaboración, el trabajo en equipo, la coherencia global, la sintonización con otras personas que comparten objetivos en una coordinación fluida son parte de **Vivir desde el Ser**.

¡No se puede **Atravesar el Techo del Ego** solo! Es obvio, si estás solo, estás aislado, y por tanto estás limitado por el **Techo del Ego**. Pero tampoco puedes realizar un salto de consciencia si aún estás apegado a otras personas con las que compartes un pasado. Por eso es fundamental unirte a otros con pasados diferentes, pero futuros similares, con los que te puedes unir hacia un objetivo común, y donde las diferencias ayudan a todos a ampliar horizontes.

Jerarquía de las necesidades humana de A. Maslow

Abraham Maslow es famoso por su pirámide de las necesidades humanas, y explica que hasta que no cubrimos las reflejadas en los primeros escalones, no podemos pasar a las siguientes. En la base están las necesidades fisiológicas, como la alimentación o el descanso, encima están las de seguridad, como el empleo, la propiedad, la familia, la salud, la seguridad física, los recursos y la moral. Mientras tengamos la sensación de que no tenemos cubiertos estos dos niveles, ya sea por vivir en un estado de precariedad o porque nos creemos todos los mensajes que nos lanzan los medios de comunicación y los políticos, no podemos pasar a las siguientes.

En la parte alta de la pirámide están las necesidades superiores del hombre: la de reconocimiento (autorreconocimiento, confianza, respeto y éxito) y la autorrealización (moralidad creativa, espontaneidad, aceptación de hechos y resolución de problemas). Estas corresponderían a los niveles proactivos, cuando vivimos desde el Ser. En medio está la necesidad de afiliación y de afecto, de ser aceptado y de pertenencia a un grupo.

En un **Mundo en Red**, la pirámide estaría invertida, con la parte superior reflejando la realidad de la mayoría de individuos autorrealizados, y en la parte inferior, las necesidades de afiliación, pero ya no sólo como necesidad de pertenencia, sino de participación en el grupo, y que estarían más que satisfechas en la mayor parte de la población. Desde el Ser uno no se siente separado, ya que se han superado los **Miedos del Ego**. Así, te unes con personas nuevas, afines, para participar en un objetivo común. Una vez **Atravesado el Techo del Ego**, participar en un grupo es la necesidad más básica.

necesidad de autorrealización

necesidades de reconocimiento

necesidades de afiliación:

participación

pertenencia

Necesidades humanas en un Mundo en Red

Además, el lastre del pequeño mundo egóico reactivo se vence cuando uno se aventura más allá de los límites de su clan, de sus "amistades de toda la vida", y empieza a colaborar con individuos de orígenes diferentes, y a participar para ayudar a otros. Por esto, el primer paso en el desarrollo personal es juntarse con otros, en un grupo de autoayuda, o hacerse socio de un club o una asociación, de una agrupación deportiva, una banda de música, o unirse a personas que fomentan encuentros culturales, o a organizaciones humanitarias, etc. Idealmente, se trata de participar y aportar en grupos que en algún momento realicen una labor colectiva para la sociedad, ya sea cuidar de los necesitados, organizar una carrera popular o recaudar fondos para ayudar a otros. Este simple hecho nos saca del horno canceriano, nos obliga a conectar y comprender a otros, y nos hace sensibles a las necesidades ajenas. Nos saca de nuestro pequeño mundo.

El tiempo cuántico

Creerse el tiempo como algo lineal nos somete y nos impide atravesar el **Techo del Ego**. Desde el Ser el tiempo es cuántico, no existe ni pasado, ni futuro, sino solo el presente. Y es desde el presente que podemos reprogramar (recuerda lo mencionado antes de la Sanación Cuántica) la información de nuestras memorias celulares, y así incluso cambiar el pasado (y en concreto nuestra experiencia de él), así como nuestro futuro.

El físico cuántico **Jean-Pierre Garnier-Malet** postula en su teoría del "Desdoblamiento del Tiempo y del Espacio", que al igual que las partículas, el tiempo también posee una función de onda y una función de partícula. El tiempo lineal, el que conocemos y usamos, corresponde a la función de partícula, mientras que el tiempo en función de onda ocurre, entre otros momentos, durante el sueño.

De manera simplificada, podemos decir que la función de onda se caracteriza por ser como una sopa de múltiples posibilidades. El teórico francés explica que es durante el sueño cuando en verdad creamos nuestra realidad, al elegir aquella que está en resonancia con nuestras emociones. Durante el tiempo cuántico, elegimos la realidad que viviremos luego en vigilia como si fuera una serie de fotogramas que se materializa mediante el foco de nuestra atención. En otras palabras, creamos lo que soñamos.

Invito al lector a profundizar más en la teoría de Garnier-Malet, aunque aquí me limitaré en estas líneas a destacar lo más relevante a lo expuesto en este libro. Y es que esta visión del tiempo fundamenta la necesidad de irse a dormir con sentimientos y pensamientos positivos, enfocados a crear la realidad que uno quiere.

Ser un canal

Canalizar información no es un talento especial, sino lo que sucede cuando el Ego maduro se quita de en medio. Desde el Ser, cuando pones tus talentos a disposición de los demás para el bien común, abres el flujo de información que fluye a través de ti. El escritor al escribir, el conferenciante al orar, el pintor al dejarse llevar por su obra, el cantante cuando crea una composición, son algunos de los ejemplos más claros de información canalizada, pero no los únicos. A esto se le suele llamar inspiración.

Elizabeth Gilbert, autora del Best Seller "Comer, rezar, amar", cuenta en su deliciosa charla en **TED Talks** sobre la inspiración, cómo esa información que canaliza el individuo que va a crear en realidad es algo universal que no le pertenece, y éste no es más que el vehículo para transmitir ese mensaje. Gilbert concluye que el escritor, el músico, el artista, o quien sea sólo ha de dedicarse a lo suyo, a escribir, componer o pintar, para que la inspiración le pille trabajando y no le pase de largo. Esta visión alivia al creativo de la presión de los éxitos logrados, al no ser su obra algo personal, pero no contentaría al Ego que necesita ser reconocido. Sin embargo, sólo se puede canalizar verdaderamente cuando el Ego no está en medio.

No hay problemas, sólo soluciones

Desde el Ser, uno no se enfoca en los problemas, sino en encontrar soluciones. Y si no hay solución, pues te adaptas. Tener problemas únicamente sirve para alimentar al Ego inmaduro, ya que facilita crear una identidad en base a ellos o sirve para atribuir culpas. Tener retos a superar es una invitación a la mejora y a resolver situaciones de la manera más directa posible, sin engancharse por el camino.

Imagina que tienes un problema con tu banco y decides dejar de operar con él y cambiarte a otro, pero tienes asuntos pendientes que te impiden cerrar la cuenta. Cuando el Ego es inmaduro, seguramente tendrás como objetivo prioritario lograr que la entidad bancaria reconozca el agravio cometido y te resarza de alguna manera, lo que seguramente te lleve a una prolongación y a una complicación del conflicto. Te chocarás contra el **Techo del Ego**, y el coscorrón será fuerte, ya que esta actitud proviene del **Miedo del Ego** más potente, el miedo al descontrol, en su versión de "miedo a que las cosas no sean como yo quiero que sean".

Enfocarse en el problema en vez de en la solución esconde rabia, que a su vez es una tapadera de sentimientos de tristeza, inferioridad y desvalorización. Es el miedo a no ser nadie. Enfocarse sobre la solución y estar dispuesto a no tener la razón y a ceder, aunque de manera asertiva si fuera necesario (no vale ser pisoteado, eso también es Ego), implica humildad. Este tipo de situación supone una amenaza frontal al Ego inmaduro y una prueba infalible para saber si estás preparado para atravesar el **Techo del Ego**.

Encontrando y expresando tus talentos

Desde el Ser nos expresamos desde lo mejor de nosotros mismos a través de nuestros talentos innatos y adquiridos. Muchos de estos surgen de manera espontánea conforme vamos despejando capas y limpiando memorias celulares. De hecho, somos un compendio de talentos variados que, cuando nos disponemos a ofrecer nuestro conocimiento a través de ellos para el bien común, inevitablemente canalizamos algo nuevo, enriqueciendo así nuestras habilidades.

Los talentos de base son aquellos relacionados con nuestros miedos, y que se descubren en su plenitud cuando comprendemos estos y la energía que movemos. Como ya mencioné al hablar de los **Miedos del Ego**, cuando se tiene miedo al abandono, se tiene el talento de hacer las cosas con total amor y entregar, de ofrecer ese amor a los demás y de ser libre. El miedo al rechazo esconde la capacidad para conectarse con la "divinidad", con tu Yo superior, y comunicar desde allí, el talento para la comunicación, ya sea a través de la palabra escrita o hablada, o de la imagen, la capacidad para conectar a las personas, así como de manejarse en el mundo de las ideas. Mientras que el miedo al descontrol esconde una gran capacidad creativa, genialidad original, la capacidad para iniciar e impulsar movimientos, y la habilidad para manipular positivamente a los demás, por ejemplo, cuando uno ejerce de maestro o de terapeuta.

Hablaré más sobre los talentos en el siguiente capítulo, ya que una de las mejores formas de reconocerlos es, precisamente, a través de las **Proyecciones**. Y es que no sólo tenemos miedo de nuestras sombras, sino también de nuestra grandeza. ¡Profundizar en nosotros y en nuestras memorias celulares nos revelará tesoros que no podemos ni imaginar!

En la siguiente página dejo una tabla comparativa entre Vivir desde el Ego y **Vivir desde el Ser**.

Comparación desde el Ego – desde el Ser

Vivir desde el Ego	Vivir desde el Ser
Culpa	No es personal / Comprensión
Poner el poder fuera	Empoderarse
Límites	No hay límites
Rigidez	Flexibilidad
Reglas	Coherencia interna
Creencias	Sentir / Percepción sensible
Control / Resistencia	Fluir / Sin expectativas
Manipulación	Manejo energía
Seguir leyes, dictados	Canalizar
Perfeccionismo / Crítica	Talentos
Problemas	Soluciones
Soledad/Aislamiento	Unirse a otros
Tiempo lineal	Tiempo cuántico
Abuso energético	Sostenibilidad energética

Relaciones desde el Ser

En un **Mundo en Red**, las relaciones que mantendremos con los demás serán muy diferentes a las de ahora. En vez de basarse en el miedo y cristalizarse en roles, serán libres, independientes y estarán fundamentadas en la confianza y en el amor.

Y es que, aunque no lo creamos, nuestras relaciones actuales, aquellas que se establecen en un paradigma jerárquico y patriarcal, están basadas en el deseo, en la necesidad, y por tanto en la carencia y en el miedo. Es paradójico, en cierta manera. Podemos sentir un gran amor por alguien, por un hijo, por una pareja o por un amigo. Estas relaciones pueden despertar en nosotros sentimientos profundos, elevados y bellos, pero en realidad aún no somos capaces de sostener esa emoción pura que surge de nosotros, y terminamos queriendo dirigirla, fijarla, cristalizándola en roles, atribuyendo su presencia e intensidad a otro ser humano.

Esperamos que el otro se comporte y nos dé aquello que nos haga sentir siempre esa sensación de amor. Buscamos repetir ese sentimiento de plenitud porque creemos que alberga el secreto de nuestra felicidad y nuestra estabilidad, pero como no entendemos que esa sensación depende únicamente de nosotros, lo que hacemos es poner el foco sobre una persona a quién atribuimos la aparición de esa modalidad concreta de emoción que ha surgido dentro nuestro. Entonces, esperamos que el otro se comporte de la manera en la que actuó cuando en nosotros surgió el amor.

Foco + expectativas = rol

RELACIONES EN BASE A ROLES

El rol es una funda muy estrecha con la que encorsetamos al otro, esperando que no cambie para poder sentirnos igual, bajo la ilusión de que eso es la esencia de la seguridad, que confundimos con amor. Pero el mundo cambia y la vida es evolución. La seguridad no puede basarse en mantener las cosas invariables, no puede depender de cosas fijas ni de roles, porque cualquier cosa que no cambie en una realidad en constante evolución tarde o temprano está abocada al fracaso y a la destrucción.

Durante la **Era del Comercio** aprendimos a relacionarnos en base a roles. Se espera de un padre de familia que provea a los suyos de lo necesario para sobrevivir; se espera de una madre que cuide de sus hijos, y de unos hijos que obedezcan a sus superiores. Un orden social en el que todas las personas funcionan según los roles asignados permite una organización eficaz para crear y transformar la materia, pero en un mundo globalizado, ya sea a nivel de familia, de comunidad o laboral, la relación en base a roles se vuelve rígida y produce inconformismo y malestar en aquellos individuos que sienten que son algo más allá que meros objetos, estadísticas o funciones.

Conforme se ha ido acercando el punto de inflexión de la nueva **Era del Ser**, la anterior adaptación a roles ha ido saltando por los aires por su ineficacia en un mundo más complejo y relacionado. Las mujeres han dejado de ser meros objetos decorativos y funcionales del hogar, al servicio del marido y de los hijos, y exigen ser consideradas como personas, quieren sus derechos y su independencia. Este movimiento, que comienza con las sufragistas, pero coge fuerza a partir de que la mujer se suma a la fuerza laboral tras la Segunda Guerra Mundial, es el principio del desmoronamiento de las jerarquías familiares. A modo de simplificación para ilustrar este hecho, podemos decir que llega un momento en el que hombre llega a casa y se encuentra con que la mujer ya no sólo no le espera con las zapatillas y la cena hecha, sino que cada día ella le expresa un estado de humor y unas necesidades diferentes, quiere realizarse profesionalmente y desea tener vida propia más allá de sus obligaciones como madre.

Este cambio obliga a las parejas a replantearse las relaciones y considerarlas de una manera más igualitaria, destruyendo así la estructura jerárquica dominante hasta entonces; tendencia que corre como un reguero de pólvora y afecta a todas las relaciones humanas, las laborales, con los hijos, con los amigos, con los padres... Astrológicamente, esta transformación "compete" a nivel profundo a los nacidos durante los años '70 (Plutón en Libra), aunque por supuesto lo inician de manera más directa los que protagonizan esa década su plenitud vital.

Realmente no somos conscientes de lo radical de este movimiento en el que aún estamos inmersos. Desde un punto de vista, las relaciones son más igualitarias que nunca, obligadas a adaptarse continuamente, pero a la vez, la inercia de encajar al otro en un rol sigue siendo una enorme tentación y causa de innumerables rupturas y malos entendidos. Es decir, queremos ser reconocidos como individuos con derecho propio, pero seguimos teniendo la necesidad de encontrar la seguridad en el rol, como si nos creyésemos con el derecho a nuestra propia fluctuación y cambio y, sin embargo, los demás han de mantenerse fijos para que sobre ellos podamos encajar nuestras **Proyecciones** sin ninguna dificultad.

Para ilustrar la relación de roles y cómo eso está cambiando hoy, imaginemos otra vez a **Jesús de Nazareth**, todo un ejemplo de ser humano donde los haya, por su capacidad de amar, por su sentido de la justicia, por sus enseñanzas y su forma de vivir. Pero él vivió hace dos mil años, en el epicentro de la **Era del Comercio**, cuando todo el mundo se relacionaba en base a roles. Jesús era el maestro para unos, mesías para otros, el villano para sus enemigos, era el hijo de José y de María, y se supone, el esposo de María Magdalena, y así es como se esperaba que se comportara. A pesar de predicar la igualdad entre sus discípulos, seguía siendo considerado por estos, inevitablemente (ellos tenían el nivel de consciencia acorde a su época histórica), como alguien superior; era el maestro. El mundo en el que habitaba no conocía otra manera de relacionarse más que la jerárquica, en base a roles.

Se dice que tuvo una relación con María Magdalena, que ella era su "compañera", pero esto no se podía sostener en aquella época (ya puestos, tampoco hace cien años); prostituta, esclava o esposa, no había otra posibilidad. Y según fuera una u otra, así se esperaba que ella se comportara. Jesús trajo una nueva manera de ver las cosas, pero no era díscolo ni radical, para nada era un rebelde que se oponía a lo existente a la fuerza. El efecto de Jesús perdura aún hoy en día porque ejerció su efecto transformador desde dentro y desde el amor.

Así, él hubo de vivir con normalidad la forma de aquel entonces de relacionarse en base a roles. Por eso, no me lo imagino planteándole a María Magdalena el retiro en el que luego fue tentado por el diablo, y mucho menos diciéndole, "cariño, no me esperes esta noche para cenar, ni las siguientes 39, porque me voy al desierto a meditar". Como todo buen hombre de su época, se iría siguiendo su llamado interno sin más, y sin avisar a quien pudiera estar esperándole en casa. María Magdalena tampoco se quejaría, y cada noche prepararía la cena esperándolo, y así lo hubiese hecho, aunque no hubiese vuelto jamás.

Este ejemplo me lo he inventado para que el lector se pueda poner en el lugar de diferentes épocas históricas y comprender de qué manera hemos cambiado y lo rápida que ha sido esa transformación. Porque la situación que he planteado con el ejemplo de Jesús era una realidad entonces, pero también hace un siglo, e incluso menos.

Hasta hace muy poco, adaptarnos al rol era bueno, nos daba seguridad y nos hacía sentirnos bien. Pero ahora nos provoca malestar, nos sentimos tironeados por dentro, reconocemos que no estamos siendo nosotros mismos, y nos provoca hasta enfermedades. Y como la **Era en Red** es de energía femenina (unir, crear y sentir), somos las mujeres quienes más notamos esta disonancia entre el rol y nuestro Ser, somatizándolo a menudo en la forma de enfermedades, en especial el cáncer (expresa los conflictos relativos a estar más pendiente de otros que de uno mismo) y la fibromialgia (conflicto de desvalorización por oposición de intereses: quiero servir a mi familia, pero quiero mi independencia), cuando no a través de conflictos con los hijos y la pareja.

Según la biodescodificación y el análisis transgeneracional, está comprobado que los hijos reflejan los conflictos de la madre hasta los 7 años y luego del padre hasta los 14. Son un receptáculo puro de la proyección de sus progenitores y somatizan en su cuerpo los conflictos y bloqueos que estos no expresan. Desde este punto de vista me planteo: entonces, un niño hiperactivo, ¿qué está intentando expresar?, sino quizá el inconformismo de los padres. ¿Por qué no hace caso al profesor?, que no es sino una figura de autoridad sobre la cual uno se crea una serie de expectativas. ¿Quizá esté expresando la necesidad de huir de la clasificación en base a roles de sus padres, la necesidad de libertad y de expresar el Ser...?

La relación de pareja

Las relaciones de pareja son un acelerador evolutivo. Es más, se puede decir que nuestra sociedad empezó a transformarse a partir de las relaciones de pareja, cuando la mujer decide dejar de adoptar el rol que hasta entonces se le había asignado para empezar a explorar otras posibilidades en su vida. Si observamos este tipo de encuentros desde el punto de vista de las energías que en él se mueven, quizá podamos comprender algunas de las claves para resolver el entuerto al que hoy en día parecen abocados millones de relaciones de pareja.

De manera ilustrativa, hablaré de las relaciones heterosexuales, aunque lo que describo es a nivel arquetípico y no literal. Cada persona es un mundo y cada relación es única. Como luego veremos (ver *Me relaciono con trozos de mí*), todos tenemos una parte masculina y otra femenina, y hemos de integrarlas. Sugiero al lector que se tome los ejemplos que planteo como una reflexión sobre las energías en la pareja, y que contraste, modifique y enriquezca la información con su propia experiencia.

Cuando existe una relación íntima, y en especial si hay relaciones sexuales, sucede que las energías de ambos miembros de la pareja se entremezclan y se conectan con el Universo. Se activa la energía kundalini, "se conecta cielo y tierra". La energía que se pone en marcha cuando dos personas se entrelazan, y se vinculan desde la vulnerabilidad y la entrega, tiene un potencial creativo inmenso. Pero antes de poder crear, se activan otros procesos.

La mujer, o el miembro de la pareja con mayor proporción de energía femenina, es la primera en entrar en contacto con el material subconsciente común a ambos. Sea o no consciente de ello. Esto sucede gracias a la oxitocina, hormona responsable de que seamos compasivos, empáticos y sociales, y de que cuidemos y nos entreguemos a la pareja, a los hijos y a los demás. Su labor es empezar a hurgar en ese **chapapote emocional** para "desenterrar" y revelar las emociones viejas ancladas en creencias ancestrales, ahuecar las memorias celulares compartidas -aquellas que ambos miembros de la pareja tienen en común-, y descubrir los talentos que se ocultan detrás de ellas (ver *Descubriendo mis talentos detrás de mis sombras*). Para ello cuenta con la palabra como mejor herramienta de expresión, ya que, por definición, al nombrar lo subconsciente, éste contenido pasa a ser consciente. No es una tarea fácil, especialmente porque la mayoría de las personas desconocen que este proceso está teniendo lugar, pero también porque no tenemos costumbre de indagar en lo más profundo de nuestras emociones y miedos. Por regla general, necesitamos ayuda, idealmente de la pareja, pero si no la hay, de una buena amiga o confidente, de un terapeuta emocional, del trabajo artístico, de la danza, o de cualquier otro medio que nos ayude a expresar lo que sentimos.

Pero el proceso no termina allí. Si la mujer continúa en la relación, la conexión energética con su pareja permanece, y ella sigue "ahuecando" el material subconsciente común a ambos. Este trabajo con las emociones es fundamental para el autoconocimiento, para el desarrollo personal, para aprender a **Vivir desde el Ser**. El trabajo interior nos aporta firmeza, que es la que luego nos facilitará la flexibilidad necesaria para adaptarse a un **Mundo en Red**, y para poder tener relaciones sin basarse en roles, **Relaciones desde el Ser**.

> **"La mujer inicia el trabajo de ahuecar
> las memorias celulares comunes.
> Este trabajo de autoconocimiento y desarrollo personal
> es la base para Vivir desde el Ser".**

Esta información sentida y "ahuecada" ha de ser compartida con la pareja. Es decir, lo sentido y comprendido se ha de comunicar al otro, ya que esa información también le es relativa. De esta manera él podrá también trabajar sus sombras y descubrir sus talentos. A cambio, él podrá ayudarla con su impulso a no quedarse estancada en los abismos emocionales y a salir de allí, ofreciéndole una visión más amplia, y estimulándole para que ella pueda sacar sus talentos al mundo.

Entrar en contacto con el **chapapote emocional** subconsciente común es un acto de entrega desde una máxima vulnerabilidad. No poder comunicarlo a la pareja provoca una gran sensación de inseguridad dentro de la relación. Ella puede terminar no confiando en él. Tradicionalmente, la respuesta del hombre ante esta muestra de temor es contratar un seguro de hogar, comprar una casa más grande o un coche más robusto. Además, en vez de reconocer esa sensación de inseguridad como lo que es, se **Proyecta** la misma sobre el mundo, con lo que se percibe a éste lleno de amenazas. En parejas menos tradicionales, o más jóvenes, o aquellas con menos recursos, que no son capaces o no tienen la opción de "comprar" o construir su seguridad estructural, se proyecta esa inseguridad directamente sobre el otro. Esta reactividad interna desestabiliza enormemente la relación y lleva, en el mejor de los casos, a la ruptura –ya dice el refrán que, "cuando la pobreza entra por la puerta, el amor salta por la ventana", o en el peor, a la violencia.

La forma en la que hombres y mujeres trabajamos nuestro material inconsciente es diferente, porque tenemos funciones y maneras de desarrollarnos personal y espiritualmente complementarias. Las mujeres necesitamos conectar, comunicar, para empezar a poner palabras a lo subconsciente y así traerlo a la luz. A través de la comunicación, además, contrastamos nuestras percepciones y, al compartir visiones y experiencias, podemos afinar a la hora de descubrir los complejos y creencias heredadas, programadas, condicionadas, karmáticas, o cómo queramos llamarlas, así como los talentos ocultos detrás de éstas. El hombre, sin embargo, se encuentra a sí mismo en la soledad de la aventura, en la vivencia de su independencia, y en el ejercicio de su voluntad.

Pero más de cinco mil años de jerarquías y roles nos han alejado de estas tendencias tan naturales y necesarias para nuestro desarrollo. Y lo que es peor, nos han separado de la posibilidad de enriquecernos mutuamente al compartir y aprender las cualidades del otro, integrando ambas polaridades, femenina y masculina. Afortunadamente, éste es precisamente uno de los primeros aprendizajes a los que debemos enfrentarnos en la **Era del Ser**.

El hombre debe aprender a "bajar la guardia" cuando la mujer le quiere contar lo que siente, y resistir el impulso de querer solucionarle algo. No está rota. Está intentando comunicar un proceso que también le atañe a él.

Siglos de expectativas sobre ellos han terminado por ahogarles, y les resulta tremendamente difícil, a partir de cierta edad, no creer que son responsables de la seguridad física de las personas a las que quieren, de la familia, o de las que sienten han de proteger. Por eso ellos no pueden escuchar desde el sentir y están separados de su lado femenino. Inconscientemente temen percibir en ellos mismos una vulnerabilidad castigada desde hace milenios con el ostracismo y la destrucción de todo aquello que aman, y el instinto les lleva a reaccionar con la acción, ya sea dando consejos, trabajando, y/o saliendo de casa, cuando aparecen las "temibles y desintegrantes" emociones de los complejos subconscientes del **chapapote emocional** compartido. Pero el no sentir, el no escuchar desde el corazón y el dar consejos reactivos, sólo sirven para cortar la conexión con los demás (ver *El Viaje de la Mente*). La comunicación, desde la energía masculina, sirve para transmitir ideas, pero no para unir sentimientos. Y esta desconexión escinde el verdadero proceso creativo que empezó a gestarse entre ambos miembros de la pareja.

La energía se queda atrapada en el sistema, en una (llamémoslo así) olla a presión, que ha de sostener la mujer. Flaco favor para su estabilidad emocional. La solución biológica para exteriorizar esta energía, al no estar disponible el canal creativo original, es concebir descendencia. Entonces ésta será la responsable de llevar fuera del sistema el material inconsciente no resuelto, no sin antes dar otra oportunidad a los padres de sacar el chapapote fuera a través de las

Proyecciones (ver *La relación con los hijos*). Si aun así ambos miembros de la pareja no logran traer a la consciencia sus patrones, serán luego los descendientes quienes perpetúen la información subconsciente, así como los traumas y conductas ligados a esas creencias, y quienes tendrán la misión de liberarla, o transmitirla a la siguiente generación hasta su resolución.

Cuando una mujer se queda con la energía atrapada en el sistema, hay una serie de conductas clásicas en nuestra cultura que evidencian el proceso subconsciente que en realidad está sucediendo. Se obsesiona por limpiar y poner orden -que es un reflejo de la necesidad de limpiar y ordenar el subconsciente común-, intenta controlar que nada ni nadie esté fuera de lugar, o en el mejor de los casos, cocina, como si mediante la alquimia y transformación de los alimentos, y su combinación en la creación guisos, pudiese así transmutar esa energía subconsciente y comunicarla al hombre a través del alimento. No en vano dice el refrán que, "al corazón del hombre se llega a través del estómago".

Otra solución biológica típica es espaciar las relaciones sexuales o directamente dejar de tenerlas, para evitar acumular más energía de la que se puede drenar. Pero si aun así ésta no se libera porque, por ejemplo, la mujer está pendiente de los demás y no dedica tiempo a ella misma -una estrategia clásica para no tener que lidiar con el material subconsciente (obviamente no se hace a propósito, sino por condicionamiento cultural)-, entonces se corre el riesgo de sufrir alguna enfermedad, siendo las más clásicas el cáncer de mama y la fibromialgia, o dolores musculares aparentemente inespecíficos.

Mientras esto le sucede a la mujer, el hombre se enajena del mundo emocional que ella propone, refugiándose bajo múltiples obligaciones autoimpuestas, realizando algún deporte, reafirmándose en la acción, o incluso en alguna relación extramatrimonial, a través de la cual buscaría alimentarse de la poderosa energía que se activa en los encuentros íntimos, obteniendo "combustible fresco" para sus proyectos.

Obviamente la mujer también puede tener relaciones extramatrimoniales, pero tarde o temprano se encontrará cargando con más material subconsciente por ahuecar. Y tener dos frentes abiertos es más complicado que tener sólo uno. De ahí que sea mucho más probable que, si ella tiene otra relación, corte con la primera o no deje que la segunda dure tanto. En definitiva, para una mujer (o la persona más vulnerable y que más se entrega en una relación), es mucho más difícil sostener más de una pareja a la vez, debido a que conecta con las memorias celulares compartidas; y si con un lote ya cuesta, ¡imagina con dos! Al final muchas mujeres hipotecan su **conexión sensible** para protegerse, haciéndose más masculinas y mentales.

Volviendo al hombre, el control no es exclusivo de la mujer. De hecho, es más una cualidad masculina que podemos observar en aquellos que, convencidos de que son grandes protectores de su clan, limitan y dictan cada movimiento de cada miembro del hogar que sostienen bajo su auspicio, como si así pudiesen limitar y controlar el contenido subconsciente que bulle bajo la superficie y pugna por salir, y que es proyectado fuera en la forma de una visión del mundo cataclísmica. Es bien conocido por la psicología que este tipo de actitud produce descendientes cargados con la rabia que sus ancestros no han sabido canalizar al encorsetar cualquier expresión emocional.

Podría seguir poniendo ejemplos de situaciones que resultan de no comunicar y de no aprovechar positivamente las energías que se movilizan en una relación de pareja, pero invito al lector a plantearse todas las posibles variantes desde su propia perspectiva, partiendo de las hipótesis que aquí planteo.

Ahora, cabe añadir que, cuando una pareja ha conseguido madurar su relación, cultivando la confianza, compartiendo, prestándose mutua atención y comunicando entre ellos, y ya tuvieron hijos que se llevaron parte del **chapapote emocional** subconsciente fuera del hogar, y lograron un equilibrio entre la energía movilizada y la expresada y compartida, entonces es cuando realmente puede crear un proyecto (o proyectos) sólido en el mundo. Por eso dice el refrán, "detrás de cada gran hombre hay una gran mujer".

En la **Era del Ser**, la mujer conseguirá poner nombre al material subsconsciente movilizado por el encuentro íntimo en la pareja, y podrá enfrentar sus miedos, descondicionar sus creencias y sacar sus talentos. El hombre aprenderá de ella a ponerse en contacto con el mundo emocional, aprendiendo a madurar sus emociones para hacerse más firme interiormente, lo que le permitirá ser más flexible y no tan rígido. Ella le servirá de ejemplo a él y le inspirará para realizar su trabajo personal. Y él la estimulará a salir al mundo y manifestar su voluntad y sus talentos. Ambos aprenden, ambos crecen y ambos emprenden.

> "El trabajo del hombre es aplicar sus talentos,
> su valía en el mundo.
> Con su ejemplo, en comunicación sensible con la mujer,
> ayudará a que ella también ofrezca al mundo
> lo mejor de sí misma para el bien común".

Compartiendo el trabajo personal, nos ayudamos a crecer, a conocernos, a desarrollarnos, y a sacar lo mejor de nosotros para ofrecerlo al mundo, al servicio de los demás. Te recomiendo el vídeo en Youtube de **Roberto Pérez** titulado, "Roberto Pérez – Loving Oneself" (es en castellano subtitulado en inglés), en el que habla del amor de pareja y el amor hacia uno mismo.

La conexión sensible

La **conexión sensible** es la que se da cuando hay una comunicación emocional y una **escucha sensible**, favoreciendo así la **percepción sensible**. Estos son talentos femeninos porque lo es el deseo de vincularse (en **Un Mundo en Red** vimos que la energía femenina es la de unir, crear y sentir). Biológicamente, la mujer segrega más oxitocina que el hombre, una hormona que le ayuda a conectar con el bebé y sentir lo que necesita, pero también con los demás seres humanos y crear comunidad. Esta hormona es la responsable de hacernos sentir bien cuando nos relacionamos y de la habilidad para coordinarnos. Gracias a ella se favorece la comunicación, la escucha y la **percepción sensible**, el mostrarse vulnerable, así como la conexión sensible con otros y con el mundo, y el desarrollo del sentido de grupo, del "nosotros" por encima del "yo".

Esta cualidad es la que permite ahondar en el mundo de lo emocional, y desentrañar los nudos atados en la infancia, en el transgeneracional, o en el karma personal (ver *La memoria celular, traumas y karma*). Pero se trata de una habilidad que no se puede desarrollar en soledad, sino que requiere del vínculo para completarse.

A pesar del patriarcado, no hace mucho las mujeres contaban con su espacio y momento para compartir entre ellas, pero las presiones sociales del último siglo, la lucha por la independencia femenina y la salida de éstas al mundo laboral han reducido los contactos pausados entre ellas, que son los que favorecen la conexión y la comunicación sensibles. Y es que la oxitocina es antagónica a la hormona del estrés, el cortisol.

> **"La conexión sensible implica la comunicación emocional y la escucha sensible, que facilitan la percepción sensible".**

Como siempre, la vida está llena de paradojas. La libertad de la mujer, coincidente con el impulso de la energía femenina que propició la basculación a la **Era del Ser**, no sólo es fruto de una polarización de la energía masculina (ver *El Viaje de la Mente*), sino que a nivel individual causa una masculinización de la mujer. Pero, aunque a nivel consciente se perciba un resurgir del poder de la mujer, de manera subconsciente, es la tensión que se produce en las relaciones interpersonales por la ausencia de esa comunicación y conexión sensible la que "provoca" la basculación de la **Era del Comercio** patriarcal, al **Mundo en Red** de la **Era del Ser**. Vimos esta misma dinámica en el primer capítulo, cuando al final del neolítico se produjo un crecimiento demográfico importante (exceso de energía femenina) que perturbó el orden social y derivó en la creación de las primeras ciudades.

Para comprender esto desde otro punto de vista, veamos cómo se revelan estas dinámicas en países de tradición musulmana. Allí se mantiene aún el equilibrio del patriarcado porque las mujeres conservan la conexión sensible entre ellas, a la vez que no hay comunicación con los hombres. En occidente tuvimos que sufrir varias guerras en nuestro territorio para romper esta dinámica. Las contiendas suponen un alivio a la presión creada por la ira acumulada por una sociedad que no ahueca su "basura" emocional.

En el caso de los países de tradición musulmana, el sentido de comunidad que inspira la religión también en los hombres rebaja el Ego individual a favor de la identidad colectiva, dificultando la eclosión de guerras internas o entre países que profesan la misma fe. Sin embargo, el mundo tecnológico e internet, que inevitablemente se infiltran de manera globalizada, están llevando a un aumento de la identidad individual, y por tanto a la desestabilización de patriarcado también en esos países. Creo que es cuestión de tiempo que estas naciones pierdan el equilibrio del patriarcado, y continúen los pasos ya iniciados en la Primavera Árabe (que comenzó a principios del 2008, al entrar el transformador Plutón en el signo que simboliza el orden social, Capricornio) o más recientemente, en Siria. Cabe añadir que, desde este punto de vista, el terrorismo sería una expresión aislada y externa del inicio de una desestabilización del patriarcado en estos países. Los terroristas serían como gotas de agua que saltan fuera de un cazo en el que ha roto a hervir el agua, o mejor dicho en este caso, el orden social del patriarcado.

Volviendo al argumento inicial, la comunicación que se da a través de la **conexión sensible** ayuda a las mujeres a aliviar la carga, la presión, de entrar en contacto con el contenido subconsciente del **chapapote emocional** común. Pero esto no exime al hombre de la necesidad (evolutiva) de aprender a comunicar y escuchar desde la sensibilidad. Si no aprende, es posible que termine quedándose solo, ya que la mujer está cada vez menos dispuesta a "aguantar lo que ya no le toca". Si ella hace el trabajo emocional de ahuecar las memorias, pero él no le sigue y no aporta estimulándola a sacar lo mejor de ella al mundo, es muy probable que ponga fin a la relación. En este caso, lo que puede llegar a ocurrir, considerando el creciente envejecimiento de la población, es que la verdadera "fuerza" de la energía femenina se empiece a dar merced a los grupos de amigas, de mujeres, mayores de 45, que empiezan a comunicar, compartir y expresarse desde su autenticidad y vulnerabilidad, y juntas se apoyan para "salir al mundo". Me aventuro a pensar que entonces ellos, si se quedan solos sin el "apoyo energético" de una mujer, puede que no queden muy bien parados.

> **"El hombre ha de aprender la conexión sensible,
> a expresar lo que siente y a escuchar desde el corazón".**

Otra opción para practicar una **conexión sensible** son los grupos de autoayuda, dedicados al crecimiento y desarrollo personal, donde, si el trabajo es sincero y cada uno se enfrenta a sus miedos y muestra su vulnerabilidad, también se logra ahuecar memorias y descubrir talentos. Además, en estos grupos cada vez participan más hombres dispuestos a reconocer la necesidad de madurar su Ego.

El desarrollo de la voluntad

La **conexión sensible** sin la acción de la energía masculina sólo sirve para ahogarnos en la profundidad de un mar emocional, cuyo fondo está cubierto por esas memorias del pasado. Por otro lado, en esta sociedad, en la que estamos separados de nuestra parte más sensible, tanto hombres como mujeres practican un estilo comunicativo masculino, basado más en transmitir ideas que en comunicar sentimientos. Así, la comunicación se convierte en cotilleo y en crítica entre las mujeres, pero no se traduce en un cambio efectivo.

El hombre aporta con su energía proyección y visión, además de acción para desarrollar proyectos. Gracias a la energía masculina desarrollamos nuestra voluntad y dirección. Merced a esas cualidades, el **chapote emocional** se convierte en combustible que, junto a los talentos en ello descubiertos, sirve para crear y servir a la sociedad desde lo mejor de uno mismo. El hombre aporta a la mujer, a través de su estilo comunicativo basado en transmitir ideas, la posibilidad de expresarse de forma efectiva, además, puede apoyarla y ayudarla así a salir al mundo, para dar lo mejor de sí.

"La mujer ha de aprender del hombre a comunicar sus emociones de manera eficaz y manifestar su voluntad en el mundo".

Si la mujer se encuentra y desarrolla en la comunicación, el hombre lo hace en la expresión de su independencia, de su libertad, en el ejercicio de su voluntad. Sólo, en la naturaleza, sintiéndose sin lastres ni obligaciones, sin responsabilidades, es dónde puede encontrarse espiritualmente. Pero en la sociedad actual, se autoimpone tantas obligaciones que no es capaz de sentirse libre. Y lo que es peor, cuando la mujer intenta comunicar, él, se lo toma como la obligación de arreglar algo roto, de dar una respuesta para solucionar un problema. Cuando ella intenta abrir puentes de conexión emocional, él se siente lastrado y presionado. Creo que es importante tomar consciencia de esta dinámica, unos y otros, si queremos empezar a aprender de la relación de pareja, y por tanto, integrar nuestras partes femenina y masculina. Nosotras debemos comprender que nuestro objetivo es empezar a ahuecar el **chapapote emocional**, poniéndole nombre a lo que sentimos, y ellos podrán entonces ayudarnos a expresarlo y descubrir los talentos que hay detrás, dejándose sentir y haciéndonos preguntas (ver *Escucha sensible*).

Una vez la mujer ha buceado en lo más profundo de las memorias comunes, y las comunica al hombre, descubre que el hombre tiene facilidad para comprender e integrar la información. Él no necesita bucear tan profundo, pero sí que alguien empiece a sacar los tesoros (los talentos) que yacen en el fondo del mar. Y ella necesita ayuda para sacar esos tesoros fuera del agua, y para salir a la superficie y entregarlos al mundo.

Me relaciono con trozos de mí

Aquí he hablado de la relación entre hombre y mujer, pero esto es sólo un paralelismo externo de la relación interna entre nuestros lados femenino y masculino. Nuestro Ser no es dual, ni tampoco entiende de géneros, esto son solo vivencias en el mundo tridimensional. Al penetrar en la materia, una vez que nacemos, nos es imposible sostener en nuestro cuerpo y en nuestra mente concreta todo lo que somos, así que proyectamos sobre el mundo miles de trocitos de nosotros. Es por esto que las vivencias nos parecen venir desde afuera y nos creemos la ilusión de que los otros y la vida nos hacen cosas. Pero no hay nada, absolutamente nada, de lo que veas, vivencies o experimentes que no tenga que ver contigo. Todo se produce por la interacción entre tu Ser y el mundo físico.

Desde la inconsciencia, desde el Ego inmaduro, esto se vive a menudo con dificultad, con resistencia. Paradójicamente, esta resistencia es la que nos lleva a madurar nuestro Ego y a desarrollar nuestro sentido de la individualidad. Una etapa evolutiva necesaria e imprescindible para la Humanidad. Pero hemos cambiado de Era y, después de más de cinco mil años de separación, ahora nos toca integrarnos y alinearnos con nuestro Ser (ver *La Era del Ser*).

La relación de pareja es tan importante para nuestro desarrollo porque refleja dos grandes aspectos de nuestra psique dividida. Todos tenemos dentro un lado femenino hundido en un mar emocional de chapapote denso, incomunicado del exterior. Todos tenemos un lado masculino que ejerce su acción en el mundo, malgastando energía en lo físico y lo mental (ver *Reinterpretando el bajón energético*), y ejerciendo su voluntad de manera impositiva y demandante, por cuanto este impulso está alimentado por el dolor y la rabia de aquellos complejos emocionales enterrados. Todos debemos aprender a conectar ambas partes para sentir, comunicar y actuar desde el Ser, desde la coherencia.

El trabajo de integración requiere mucha, muchísima humildad. Si el Ego no está suficientemente maduro y seguimos siendo reactivos, no lo conseguiremos. Es algo que exige mucha práctica. Es una labor continua y para toda la vida. Pasar de ser reactivo a ser proactivo, es decir, del modo "dame" al modo "dar", atravesando el **Techo del Ego** habiendo reunido e integrado todos los trocitos que proyectamos sobre el mundo, sobre el escenario de nuestra vida, no es tarea fácil. Y no precisamente por el método, que es sencillo, sino porque implica un proceso desestructurante, y salirse de la posición inmadura de ser el ombligo del propio mundo, y a la vez hacerse totalmente responsable de uno mismo.

El mandala de mi carta natal

El mandala de la carta astral representa este movimiento de la consciencia. Me encanta cómo **Eugenio Carutti** lo explica en su libro,

"Los Ascendentes en Astrología". Nuestro Ser está representado por el punto central. Desde allí proyectamos trocitos de nosotros, simbolizados por los planetas, sobre la esfera del escenario que es nuestra vida, que es el círculo exterior que contiene a los signos zodiacales y las casas o ámbitos de nuestra existencia.

Cuando nacemos, vivimos desde nuestra Luna (el Ego) y reaccionamos en función de su necesidad de seguridad, pero la tarea es ir dejando el modo "dame", integrar todas las energías que te representan, alinearte con tu Ser, y dar. Y la mejor manera de hacerlo es haciéndose consciente de que todo lo que te sucede corresponde a una proyección, a vivir una energía que es tuya como externa en vez de propia. Esa energía o, mejor dicho, la resistencia a reconocerla como propia, hace que en el "exterior" sucedan cosas. Poco a poco, a base de repeticiones, vamos comprendiendo que si algo me sucede siempre no soy víctima del mundo, sino que debo de estar provocándolo (ver *La Estructura del Ego*). Si mis parejas siempre me dejan, he de darme cuenta de que soy yo quien quiere libertad. Si mis jefes siempre me machacan, seguramente seré yo quien necesite expresar mi liderazgo. Hacerme responsable de esto es un paso de gigante hacia la alineación con el Ser.

Cargando a otros con mis mochilas

Como nos viene grande sostener todo lo que somos, proyectamos sobre el mundo, sobre los demás, trocitos nuestros hasta que podamos integrarlos. Imagina que son mochilas que damos a los demás, para que carguen con ellas hasta que seamos lo suficientemente fuertes, y en este caso, hasta que el Ego sea lo suficientemente maduro, como para poder aguantar su "peso".

Por ejemplo, si a mí de pequeña no me cuidaron y no me nutrieron con el cariño y amor que hubiese deseado, obligándome a crear una coraza de autosuficiencia, proyectaré sobre el mundo mi núcleo frágil, carente y necesitado, y entraré en relación con personas que puedan llevar esa mochila por mí: tendré parejas o amigos que percibiré como personas necesitadas emocionalmente y yo haré de fuerte para apoyarles; o me encontraré con personas débiles que muestren su fragilidad que no soportaré porque las veo demasiado blandas. Rechazaré o me sentiré atraída por estas personas en la medida que no reconozca y sane mi propia herida.

Otro ejemplo, si mi madre es una persona que pierde el control y se vuelve loca sin previo aviso, lo más fácil es que me convierta en víctima de esta situación, pero en realidad, si lo miramos desde otro punto de vista, ella no ha hecho más que aceptar llevar la mochila de mi propia locura, es decir, de mi propia genialidad o capacidad para canalizar información si estoy alineada con el Ser (en el *Manual para Vivir desde el Ser* veremos cómo deducir los talentos de las *Proyecciones*). Canalizar información puede resultar bastante desestructurante para una persona con un Ego inmaduro. El miedo a la locura a priori está más que justificado (si uno no se ha trabajado el miedo al descontrol; ver *Los Miedos del Ego*). Es un acto de amor inmenso por parte de una madre, mejor dicho, del Ser que hay "detrás", aceptar esa carga, y sacrificar la experiencia de una relación de amor, a cambio de antagonismo y tensión.

Un tercer ejemplo. Muchas veces la relación entre los padres no es buena, o las diferencias que sostienen son irreconciliables. En estos casos, el bebé quiere a ambos por igual e interpreta que lo que hay es amor, interiorizando las cualidades que representa la madre, las que representa el padre y la tensión entre ambas. Son tres elementos juntos aparentemente incompatibles entre sí. De mayor, este individuo, en cuanto entra en una relación, e ntrega al otro una de las dos mochilas, recreando también la tensión entre los padres. Por ejemplo, mi padre es racional y distante, mientras que mi madre es autoritaria e imaginativa, para mí estos dos aspectos sólo se pueden sostener de manera alternante, es decir, o soy racional o me quedo con la mochila autoritaria y le doy la intelectual a otro. Y, además, con esta persona me relacionaré siempre con tensión. La solución está en visualizar lo positivo de las dos cualidades, es decir, ver los talentos que hay detrás de esas **Proyecciones;** por ejemplo, la objetividad y la capacidad para crear, y ver cómo ambas se integran de manera armónica en ti.

La relación con los padres

La relación con los padres es de master. Es "LA RELACIÓN" con mayúsculas. Es la que condiciona nuestras experiencias y todas las demás relaciones que viviremos en nuestras vidas, sea con personas o sea con las cosas, como ha podido comprobar cualquier persona familiarizada con las Constelaciones Familiares. Es la que determina la **estructura del Ego** y nuestras creencias más profundas y arraigadas. Es la que define aquello que llamamos amor, pero que en realidad es como vivimos a papá y mamá, o sus sustitutos, o nuestro ambiente en la infancia (ver *La impronta*).

Hay mucho que desgranar sobre uno en esta relación, y no es algo que se pueda superar de un plumazo. Es más, se trata de un trabajo para toda la vida. Si fuéramos realmente capaces de superar esta relación, nos convertiríamos en seres iluminados con relaciones perfectas con todo el mundo y todas las cosas, con el dinero, con el trabajo, con la vida…. Así que no pretendas superarlo, sino que sé humilde, aprende y sigue aprendiendo.

Nuestros padres no son o eran seres perfectos, por muy buenos que nos hayan parecido. Cuando nacimos estaban cargados con sus culpas, sus traumas y sus problemas, y lo más seguro es que no se lo tuvieran muy trabajado, y hayamos heredado de ellos mucho de ese trabajo pendiente.

El primer paso en trabajar la relación con los padres es odiarlos. Sé que esto puede sonar muy fuerte, e incluso muchos sois incapaces de pensar en ello, pero es fundamental si quieres ser una persona independiente y madurar tu Ego. La adolescencia es la etapa en la que debemos odiar a nuestros padres porque de esta manera separamos nuestra identidad de ellos. Quien no vive esto queda simbiotizado en la relación con los padres y nunca podrá ser él mismo.

Cuando una pareja corta con la relación, es típico que cada uno luego busque a sus amigos y junto a ellos pongan a caldo e insulten al ex. Este ejercicio de odio y rechazo es una manera normal de poner límites y de respetar la propia individualidad, y ayuda a definir lo que uno quiere y lo que no en esta vida, así como quién uno es. Y como nuestro nivel evolutivo hoy por hoy es el que es, lo mismo hay que hacer con los padres o aquellas personas que ejercieron su función. Evidentemente, no se trata de permanecer en el rencor y el desafecto, pero sí es imprescindible expresar la rabia, la ira, el inconformismo, etc., para romper la identificación con todo aquello que te diferencia. Una vez se haya purgado del cuerpo estas emociones negativas, podemos entonces intentar comprender los motivos que ellos tuvieron para no darnos lo que queríamos o para hacernos daño.

Ampliar la vista con respecto a los patrones emocionales propios y los de los padres, se continúa con una comprensión aún mayor de la influencia del transgeneracional, es decir, de tus antepasados, y las historias que ellos vivieron. Para finalmente llegar al entendimiento que éstas no son personales, sino comunes a una buena parte de la humanidad, y necesarias para que, a pesar del dolor, llegásemos a ser quienes somos.

Después toca reconocer cómo el patrón de la relación con tus padres lo repites una y otra vez a lo largo de tu vida, determinando si tienes éxito o no en tus relaciones de pareja, en tu trabajo, con el dinero, etc., y por supuesto, con tus hijos. Y este patrón te produce insatisfacciones y problemas, pero también te trae oportunidades y talentos (ver *La Estructura del Ego* y *La Impronta*).

Descubrirás estos patrones en cada rincón de tu vida, una y otra vez, desde mil ángulos diferentes. Creerás que ya lo tienes superado, pero volverán a aparecer. ¡Los padres son una fuente de inspiración ilimitada para el trabajo personal! (ver el *Manual para Vivir desde el Ser*)

La relación con los hijos

Si la relación con los padres es una fuente de inspiración y la de pareja un acelerador evolutivo, los hijos son nuestros maestros. Sencillamente porque son receptores puros de nuestras **Proyecciones**. Hasta los 7 años aproximadamente reflejan por completo a la madre, y de los 7 a los 14, son **Proyecciones** del padre. Luego, si el proceso va bien, rechazan y odian a sus padres para ser ellos mismos. Los hijos imitan en todo a sus padres, pero desde el nivel inconsciente. No importa lo que digan los progenitores, las órdenes que den. Si estos no hablan con coherencia, los hijos mostrarán la contradicción.

Los conflictos emocionales de los padres son somatizados por los hijos, no solo comportamentalmente, sino incluso físicamente, a través de enfermedades. Esto se ha estudiado profundamente en la biodescodificación. Si hay broncas en casa, los hijos pueden desarrollar asma o problemas cutáneos. Si les pican los mosquitos, hay rabia no expresada.

A nivel psicológico, los hijos ponen en evidencia las incapacidades de los padres. Los padres se sienten irritados o preocupados ante aquellos problemas de sus hijos que ellos no fueron capaces de enfrentar. Si te molesta que tu hijo sea desordenado, es porque tú necesitas poner orden a tus cosas. Si te inquieta que los demás niños se metan con él, es porque tú no sabes ser asertivo. Si se muestra desobediente, tendrás que analizar de qué manera eres tú incoherente. Así que lo más honesto, especialmente con los hijos, es mirarse primero a uno mismo y ver qué estás proyectando sobre ellos.

Sé que esto provoca muchas resistencias, por lo que implica dejar el rol de autoridad que se ostenta tanto en la familia como frente a la sociedad, pero sería injusto desaprovechar tan increíble oportunidad para descubrirse y conocerse a uno mismo, en las sombras y en las luces (ver *Proyecciones*). Y tengo más que comprobado que, cuando el progenitor toma consciencia de sí mismo sobre un aspecto que la conducta del hijo está delatando en ese momento, automáticamente el niño cambia y deja la conducta, sin siquiera haber mediado palabra. ¿No me crees? Haz la prueba.

La relación con la autoridad

Las relaciones de pareja, con los padres y con los hijos están cargadas de fuertes emotividades, son muy personales y sufren mucha cristalización debido a los roles (ver *Relaciones en base a roles*). Aquellas con los demás familiares, y en especial con los hermanos y luego con los amigos, son más flexibles en general, y variamos nuestras **Proyecciones** sobre ellas mucho más, repartiendo mochilas a diestro y siniestro para experimentarnos a través de los vínculos.

Pero la relación con los jefes o las figuras de autoridad, a pesar de ser impersonales, contienen sin embargo una fuerte carga emocional. Nos reflejan cómo ponemos fuera nuestro poder, ya se trate de un padre autoritario, un cura, un político, el jefe de tu empresa o el más alfa de tus amigos.

Sobre ellos proyectamos nuestros límites, nuestros impedimentos, nuestra falta de autorreconocimiento, nuestros complejos, nuestro lado más oscuro, nuestras debilidades, la manera en la que no somos justos con los demás, nuestra necesidad de sentirnos especial, nuestros tabús, etc. ¡Menuda carga!

Hay autoridades de alma muy generosa, que en esta vida se han propuesto acoger las **Proyecciones** de muchísima gente. Son los jefes más crueles y acosadores o los políticos más injustos. Son malos. Algunos hasta psicópatas. Pero como alma, son increíblemente generosos (como ocurría con la madre loca que mencionaba antes). Aceptan cargarse con la rabia y el odio de muchos para que, a través de la sensación de separación y el dolor, la gente se dé cuenta de lo que no quiere; y de esta curiosa manera facilitan la evolución de la consciencia humana. Si Hitler no hubiese sido tan malo y cruel, nuestra sociedad no habría avanzado tanto en su humanidad, no sería tan sensible, y no tendría tanta preocupación por el sufrimiento de sus congéneres. Nuestra cultura juega con ventaja en el camino hacia **Vivir desde el Ser** gracias a todo lo sucedido en las Guerras Mundiales (como mencioné al principio de este capítulo). Otras, como las de países de tradición musulmana, tendrán que recorrer caminos similares. Contar con una figura de autoridad que reciba todas las **Proyecciones** de odio y rabia, que reflejan cómo ponemos el poder fuera, y que nos ayudan a posicionarnos en nosotros mismos, en nuestro Ser, es lo que han empezado a vivir ya con el derrocamiento de los grandes dictadores de la Primavera Árabe.

Los regalos que me traen las relaciones

Desde el Ser somos conscientes de que nuestro cuerpo no es más que nuestro vehículo en esta vida, y nuestro Ego un interfaz para comunicar. Hemos venido a tener experiencias para aprender. En este momento histórico en el que estamos, nuestra tarea es alinearnos con nuestro centro para **Vivir desde el Ser,** y así poder dar al mundo desde lo mejor de nosotros.

Cómo encontrarnos, con todo lo que nos liga e identifica con el pasado es una tarea larga y un camino fascinante si se vive sin resistencia, ni pretensiones y con la mente abierta. Pero tenemos ayuda, muchas ayudas, de todas aquellas personas que se cruzan en nuestra vida, y sobre todo aquellas con las que entramos en relaciones especialmente significativas. Son nuestros mensajeros, ya que el otro no existe (ver *Centrado en ti*).

Cuando estemos viviendo desde el Ser, entonces quizá podamos reconocer al otro detrás de nuestras **Proyecciones**. Mientras, desde nuestra perspectiva actual, el otro no es más que aquel que se ofreció (desde el Ser) a ser nuestro mensajero en el momento que lo precisamos. Ahora, cómo será la vivencia que experimentemos, si en forma de caricias y amor, o a través del rechazo, el abandono o de la agresividad, depende de nosotros y la resistencia que ofrezcamos al regalo que nos trae.

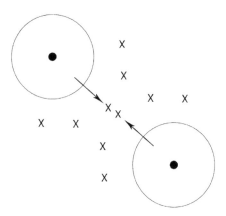

No me relaciono con el otro, sino con mis proyecciones (X)

Desde la astrología, la autora **Jan Spiller**, una mujer con una intuición y una visión extraordinarias, cuenta con un libro que se llama "Cosmic Love" (por el momento sólo disponible en inglés) en el que describe de qué manera la posición del Nodo Norte de la otra persona sobre tu carta determina el tipo de experiencia o mensaje que ésta te trae.

Un ejemplo. Más concretamente, y para los que sepáis algo de astrología, se mira en qué casa tuya cae el Nodo Norte del otro. Por ejemplo, si tengo una pareja con su Nodo Norte a 24º en Libra, y yo tengo ese grado de ese signo en la casa XII, entonces él me potencia todas las cualidades de esa casa, las buenas y las malas. Y resta energía de la casa contraria, que en este caso es la VI. Por supuesto, también se mira al contrario, el Nodo Norte tuyo en qué casa del otro cae.

Para los que no tengáis suficientes nociones de astrología, desarrollo más este ejemplo. La casa XII nos habla de la conexión con el subconsciente y con la espiritualidad, pero también del aislamiento, del sacrificio, y de la incomunicación. Éstas son el tipo de vivencias que se tendrían en esta relación. Aceptarlas, y no pedir peras al olmo, y dar las gracias, le ayudará al otro también aprender de esta energía. Al mismo tiempo, esta relación resta energía de la casa VI, la del trabajo, el cuerpo, la rutina y la presencia.

En este caso concreto, el Nodo Norte de ella está en la casa I de él. La casa I es la de la identidad y los proyectos, la individualidad y el liderazgo. Un buen apoyo, pero mala combinación para una relación de pareja, ya que resta energía de la casa de las relaciones.

Esta relación se puede vivir desde la inconsciencia con mucha frustración, pero desde la consciencia, si se reconocen y aceptan los regalos, si se comprende que no podía ser de otra manera, si uno reconoce que esa experiencia era necesaria para el crecimiento de ambos, y que había sido elegida por parte de los dos antes de encarnar, entonces no cabe el reproche, ni el rencor.

Otra manera de ver esto es teniendo en cuenta el karma de vidas pasadas o el análisis transgeneracional. Sea como fuere, el otro entra en nuestras vidas para activar una memoria celular. Nos evoca algo no concluido, no cerrado, una memoria no empaquetada (ver *La mente, un mecanismo de defensa y Memoria celular, traumas y karma*) que ahora nos toca vivir para intentar darle una respuesta que nos permita integrar el aprendizaje en la consciencia. Si no lo logramos, la lección se volverá a repetir con otros protagonistas, pero de forma similar o contraria, en esta vida o en la de tus descendientes.

En definitiva, te das cuenta de que nadie aparece en tu vida para que le puedas poseer y para que te dé lo que tú crees que quieres, sino que viene a darte lo que tú pediste para que te puedas reconocer, alinearte con tu Ser y dar lo mejor de tus talentos al mundo para el bien común.

> **"Pretender aferrarte a una relación**
> **es como querer quedarte en primaria**
> **y no pasar a secundaria porque te gusta el profesor".**

El fin de una relación desde el Ser

Entonces comprendes que la vida está llena de gente que entra y sale de ella, que deja su huella, su regalo para ti. Y que es mejor permitir que una relación llegue a su fin, cuando el mensaje está recibido. Cuando una relación ya ha cumplido su propósito, el de Ser, si realmente somos honestos con nosotros mismos, nos damos cuenta de que empieza a repetirse, de que deja de haber una evolución y de que la energía se estanca. No hay un equilibrio y las dinámicas reflejan patrones antiguos. Hay que distinguir esto de las dificultades que son propias de la fase de aprendizaje, y aunque puedan ser dolorosas, hay crecimiento.

Entonces toca revisar desde dónde te estás relacionando. ¿Estás repitiendo la relación con tus padres o de tus padres? O quizá estás escenificando una relación reflejo de un pacto de fidelidad, por amor, con alguien que falleció, en un intento inconsciente de traerlo a la vida. ¿Estás repitiendo un bloqueo en el encuentro por una carencia? La terapia de Constelaciones Familiares para mí es la más eficaz para deshacer estos nudos, trayendo a la consciencia el verdadero motivo detrás de tu forma de relacionarte.

Cuando lo ves, entonces es cuando puedes elegir cortar energéticamente con esa forma de relacionarte. Y lo haces sin culpar a tu pareja de nada, porque lo que sea es todo tuyo. Pero sí lo comunicas y agradeces los regalos.

Entonces pueden suceder dos cosas, que el otro decida también dejar de relacionarse desde donde lo hacía, y quiera seguir teniendo una relación contigo, pero desde otro punto, de otra manera. O puede pasar que no quiera cambiar su manera de relacionarse, o cambiar y no coincidir contigo. Si no está dispuesto a cambiar su manera de relacionarse, la relación termina, aunque haya deseo de seguir, ya que las formas de relacionarse dejar de coincidir, dejar de ser complementarias.

Así se pone fin una forma de relacionarse, y se produce el distanciamiento en el plano físico de los integrantes de la relación. El amor no se ve afectado. Es más, enfrentarse a este tipo de separación te ayuda a ver que el amor es lo que hay detrás de la forma de relacionarse, lo que une a las almas incondicionalmente, sin juicios, sin tiempo y sin distancia. Desde el Ser no hay nunca desconexión, aunque no te vuelvas a hablar o a ver en la vida. Sólo hay gratitud.

El Amor

El amor en realidad poco tiene que ver con el otro. Es un estado de conexión con tu Ser y con el Universo, es sentirse unido a todo. Se traduce en una confianza generalizada en la vida y en todos sus procesos. Dejas de ser reactivo y eres proactivo porque dejas de defenderte. Amor es conexión.

No es amor la desconexión que ocurre cuando separas tu mente de tu cuerpo como respuesta de huida (ver *El Viaje de la Mente*). Esta separación, biológicamente, lleva al autoaislamiento y al egoísmo, ya que se activa el modo de supervivencia. Las mayores desconexiones que vivimos son cuando estamos deprimidos, que en cierta manera es una huida de la vida, y en la otra polaridad, la psicopatía, donde la empatía ha desaparecido por completo. Entre medias tenemos todas las respuestas egoístas.

Si estoy conectado conmigo mismo, con mi Ser, estoy abierto y sensible, me permito mi vulnerabilidad, y de esta manera siento la conexión empática con los demás, con el mundo y con el Universo (o el orden de las cosas). Esto es amor. En este estado lo natural es conectarse con los demás, por pura empatía, y al mismo tiempo, el egoísmo desaparece, ya no estamos en modo "dame", es decir, ¡las relaciones ya no son algo personal!

Es posible que para algunos esto último que he dicho sea casi una herejía, pero la verdad, y lo que quiero destacar, es que "las relaciones" no existen, sólo existe relacionarse. Y relacionarse es una forma de conectar con el otro en este plano de existencia, y depende del Ego más o menos maduro que tengamos. A su vez, el otro tiene su forma de relacionarse en el mundo. Si conectamos en este nivel, no es para vivir una vida feliz y plena con otra persona, sino para aprender, para ahuecar memorias y cerrar círculos, y para crear y servir a los demás.

No hay nada estático en esta vida, y mucho menos en el amor. Esto no quiere decir que no puedas tener una pareja que dure mucho tiempo, o incluso toda la vida (aunque seamos realistas, estadísticamente es muy poco probable), ni que no puedas ser feliz en una relación, pero el camino no será todo de rosas porque aprender y evolucionar implica que algo en la relación tiene que morir para que surja algo nuevo, continuamente. Una vez descubierto el mito del patrón infantil desde dónde me estaba relacionando, ya no puedo volver atrás o seguir igual. Me tengo que relacionar de otra forma.

Las relaciones de pareja son una puerta al amor, aunque no por lo que el otro me da, sino por lo que me abre a mí para dar de manera incondicional. El problema lo tenemos cuando esperamos recibir algo a cambio, y entonces dejamos de dar desde el corazón.

También podemos acceder al amor a través de una ruptura de corazón. Si tenemos una herida de la infancia porque nuestra madre no nos amó plenamente, porque no nos dio cariño, el dolor de la pérdida que te rompe el corazón puede abrirte a niveles más profundos y maduros. Y si bien cuando esto sucede a menudo nos ponemos una coraza, hay una parte en ti que se ha liberado. El dolor de corazón, el dolor por cualquier pérdida (ya sea por una separación o por una muerte) es el dolor de fragmentos de tu Ego que se descascarillan y se deshacen. Son fragmentos que te dificultaban llegar a ver tus **Miedos del Ego**, y que no sirven al Ego maduro.

En una relación, sobre todo al principio, podemos llegar a ver al otro desde el amor. Ocurre cuando ves su alma, su Ser, detrás de tus **Proyecciones**. Hay una conexión y os "veis" (ver *Atravesando el Techo del Ego*). Por desgracia, confundimos eso con nuestra forma de relacionarnos y entonces exigimos al otro que se adapte a nuestra proyección porque no queremos perder ese destello de amor que sentimos al conectar de Ser a Ser. Esta ilusión de pérdida es en realidad absurda porque cualquier conexión de Ser a Ser produce una sensación similar, independientemente del tipo de relación que se trate, ya sea con una pareja, un amigo, o incluso un desconocido.

Pero nos cuesta sostener esta sensación de conexión en el cuerpo, y terminamos fisicalizándola y desligándola de la percepción original. Nos desconectamos de nosotros y del otro. Y entonces la mente busca como loca una interpretación para darle sentido, y crea una emoción con el fin de mantener la ilusión de conexión tras la desconexión. Y sobre ésta actuamos de manera impulsiva y reactiva, intentando retener "el amor" y controlarlo para que no se vaya (ver *El viaje de la mente*).

En otras palabras, durante unos instantes llegamos a conectar con el otro de Ser a Ser, pero luego nos desconectamos en cuanto se activan nuestros miedos: "¿me rechazará?", "¿me abandonará?", "¿será que en el fondo no valgo nada para él/ella?". Entonces queremos retener la sensación de conexión, y nuestra mente interpreta, "es el amor de mi vida, si me deja me muero", lo cual produce a su vez toda una serie de emociones, desde las más sublimes a las más desgarradoras en función de nuestra posterior interpretación de los hechos.

Sergi Torres aporta otra perspectiva a aquello que llamamos amor, y tiene un vídeo en Youtube, sobre "La sexualidad y las relaciones de pareja", que recomiendo al lector, y en el que explica cómo lo que llamamos excitación sexual no es más que tú mismo reconociéndote en el otro: soy yo, pero experimentado la realidad desde otro punto de vista. Es esa conexión de Ser a Ser.

PROYECCIONES

Desde mi punto de vista, el trabajo con **Proyecciones** es la herramienta de autoconocimiento más potente que existe porque te hace responsabilizarte de la totalidad de tu experiencia. Ahora, eso sí, es necesario muchísima humildad para poder ser riguroso en su aplicación.

Muchas, muchísimas veces me he encontrado con situaciones en mis relaciones (amistad, pareja, familiares) en las que, siguiendo un enfoque tradicional, podría haberme enfrentado de manera asertiva, comunicando mis límites al otro, y realizando las peticiones necesarias para comunicar mis necesidades y llegar a un acuerdo. Con lo que planteo sobre las **Proyecciones,** no pretendo invalidar estos métodos de comunicación eficaz, que en realidad son muy valiosos. Es más, privarte de la experiencia que se produce con el encuentro no ayuda a madurar tu Ego.

Mi tendencia natural es más bien introspectiva (vibro con el rechazo y también algo con el abandono), con lo cual el enfrentamiento es algo que siempre me ha resultado difícil. Debido a ello, trabajar sobre las **Proyecciones** me es mucho más natural. Y si bien creo -seguramente por esta tendencia mía- que reconocerte en el espejo del otro debería ser el primer paso a tomar ante cualquier desavenencia en una relación, también es importante comprobar a través del enfrentamiento/encuentro posterior que las conclusiones alcanzadas sobre ti mismo, tras responsabilizarte de tus interpretaciones, realmente se han asentado en ti.

Pero las **Proyecciones** no son únicamente una herramienta para conocerse a uno mismo, sino también para conocer a los demás. Aprender a "leer" al otro a través de sus **Proyecciones** abre el corazón a la compasión. Es un ejercicio que nos ayuda a comprender que todos sufrimos igual, que todos tenemos nuestros miedos e inseguridades, y que todos hacemos las cosas lo mejor posible.

Para mí, el autoconocimiento no puede ir desligado del conocimiento del otro. Pensar sólo en ti, cierra tu visión y contribuye a ponerte en el lugar de la víctima. Observar lo que observas en ti también en el otro amplía tu punto de vista, y esto es fundamental si te quieres desarrollar como persona y aprender a **Vivir desde el Ser**.

El chapapote emocional

Pero nos cuesta mucho abrirnos al otro, y es porque no hemos aprendido a sentirnos. Somos seres sensibles en extremo, y sin embargo vivimos como si no tuviéramos esta capacidad. Es verdad que algunos más que otros, sin embargo, se estima que un 20% de la población es una PAS (Persona Altamente Sensible). Aunque lo importante de ser sensible es saber cómo utilizarlo, y para ilustrar esto, voy a usar como metáfora el **desastre del Prestige**.

En noviembre del 2002, a 250km de las costas gallegas se hundió un petrolero que provocó uno de los desastres ecológicos más graves de la historia, afectando a 2.000km de costa, entre Portugal y España. Las playas se llenaron de brea, de chapapote, una capa espesa del petróleo vertido del buque que se había partido en dos.

La catástrofe ecológica cobraba unas proporciones catastróficas. Las playas afectadas tardarían al menos una década en recuperarse, pero la gente se volcó en su recuperación. Miles de voluntarios acudieron en masa a limpiar las playas gallegas. Ataviados de trajes protectores, cada persona hizo lo que pudo, limpiando y sacando varios capazos de chapapote de las playas. La suma de todos los esfuerzos resultó en que, al año siguiente, un 98% de las playas se habían recuperado.

Esta historia es una metáfora perfecta de cómo limpiamos el **chapapote emocional** de aquellas personas que están anegadas por su emotividad. O de cómo los demás nos ayudan a aliviar nuestra carga emocional. Cuando no somos capaces de digerir nuestras contradicciones (ver *Disonancia cognitiva y sesgo de confirmación*), escupimos fuera la negatividad, la tensión, que sentimos, y echamos la culpa a los demás.

No podemos funcionar si no aliviamos la intensidad emocional que deriva de la interpretación de nuestras experiencias. Esta intensidad emocional es nuestro chapapote. Necesitamos del espejo de los demás, necesitamos que otros lleven nuestras mochilas, hasta que seamos capaces, hasta que seamos lo suficientemente maduros, como para poder procesar nuestro chapapote. De la misma manera, otros nos necesitan para echar su chapapote sobre nosotros.

Muchas veces esto resulta incómodo para la persona que recibe el chapapote. Pero otras veces resulta natural, ya que forma parte de una costumbre o rito cultural. Por ejemplo, cuando alguien fallece, existe la costumbre de visitar a los familiares que están en duelo. Sin ser normalmente consciente de ello, cada amigo que expresa sus condolencias se está llevando consigo un poco del **chapapote emocional** de aquellos que sufren por la pérdida. Estos amigos se van tristes, pero saben que esa tristeza no es de ellos. No la hacen suya. Con lo que poco después se recuperan sin problemas.

De la misma manera, los voluntarios que limpiaron las playas gallegas recogieron la brea y luego se limpiaron. Algunos se intoxicaron un poco y se sintieron mal unos días, pero la mayoría pudieron luego seguir con sus vidas normalmente.

Al mismo tiempo, las personas que sufren el duelo se ven aliviados de su carga emocional. Gracias a la acción de sus amigos, les resultará más fácil recuperarse de la pérdida.

Esta expulsión y limpieza del **chapapote emocional** sucede continuamente en nuestras relaciones. Cada vez que estamos tristes y contamos nuestros problemas, cada vez que criticamos a los demás, cada vez que insultamos, cada vez que hablamos de algo que nos angustia, e incluso cada vez que compartimos una alegría. Es evidente que, cuanto más cerrada sea la relación entre los que se echan el chapapote, más difícil será limpiarlo. Lo ideal sería poder repartirlo entre muchas personas que se lo llevan voluntariamente, pero como no somos consciente de este proceso, el que echa **chapapote emocional** no "avisa" ni "pide permiso" primero, y el que recibe, suele identificarse con las palabras del otro y termina activando su propio chapapote que, a su vez, para defenderse, lo echar fuera. ¡Menudo estercolero montamos!

Escucha sensible

Debido a que habitualmente vamos por la vida echándonos en fuego cruzado nuestros respectivos **chapapotes emocionales,** el primer paso antes de trabajar las **Proyecciones** propias es aprender a hacer una escucha sensible al otro y a reconocer sus proyecciones.

La **escucha sensible** tiene poco que ver con nuestra capacidad auditiva o nuestra comprensión verbal, y mucho con percibir en el cuerpo el **chapapote emocional** del otro. Cuando alguien espeta un insulto, lanza una crítica o profiere malas palabras, éstas van cargadas de emociones desagradables. Imagina que es como un vómito en el que se mezcla lo que se dice con chapapote emocional, y que te salpica porque estás delante. No es agradable, pero el vómito no es tuyo.

Las opiniones hablan de quien opinan. Es indiferente si el contenido verbal negativo va dirigido a ti directamente o a cualquier otra persona. Sea lo que sea que diga una persona que echa **chapapote emocional,** sólo tiene que ver con ella. Así que no lo hagas tuyo. No te tomes personal lo que dice. Sólo está vomitando.

Por cierto, lo mismo ocurre con las emociones positivas, sólo que nadie se queja de recibir alegría, amor o entusiasmo. En estos casos recibimos la emoción con mucho gusto y no tenemos problemas en reconocer que viene del otro. Pues cuando la emoción es negativa, sucede exactamente lo mismo.

"El chapapote es el exceso emocional del otro salpicado sobre ti. No lo hagas tuyo, sólo siéntelo, acéptalo y luego déjalo ir".

De lo que se trata es de reconocer sobre el propio cuerpo lo que siente el otro, y comprender que no es tuyo. Y tiene que doler. Es desagradable que alguien te vomite encima su **chapapote emocional.** Pero si aprendemos a realizar una escucha sensible y a recibirlo, dejaremos de sentirnos agredidos y podremos descubrir un arma tremendamente poderosa: cuando realmente escuchas al otro, le quitas chapapote, y él se siente mejor. Si además puedes perdonarle (dentro de ti) por lo que siente, al comprender por qué lo siente, eso es tremendamente sanador.

"La escucha sensible es sanadora".

¡Qué diferente serían las cosas si fuéramos capaces de realizar una escucha sensible! Imagina que tu jefe te suelta que eres un inútil. Cuando te lo dice, te duele, sientes impotencia y rechazo. En vez de tomártelo personal y hacerlo tuyo, te dejas sentir y reconoces que esa emoción es la de él. Es él quien se siente impotente y rechazado. Es él quien cree que es inútil. Pero por su posición y su falta de madurez del Ego, proyecta fuera y no se hace consciente de su profundo miedo a sentirse fuera de lugar, a no valer.

Pero, ¡atención! Las **Proyecciones** son una herramienta de autoconocimiento, de crecimiento personal y de comprensión del otro, no están para ser usadas como arma arrojadiza. Digo esto porque la natural tendencia, cuando se empieza a hacer una escucha sensible del otro, es echarle en cara que está proyectando. No vale decir aquello de, "¡anda que tú!" (aunque ayuda en un principio pensarlo para no entrar a reaccionar), o "¡estás proyectando!". No hay nada sensible en decirle al otro lo que tiene que hacer o llamarle la atención por lo que ha dicho.

"Proyecciones no es un arma arrojadiza.
No digas a nadie que está proyectando.
Es sólo un instrumento de autoconocimiento
y para comprender a los demás".

Te invito pues a sentir y hacerte consciente de cómo el **chapapote emocional** de las demás personas te afecta. Te invito a no tomártelo personal y a comprender que el otro sólo está hablando de sí mismo. Te invito a comprobar cómo, aunque en un principio es doloroso, lo es mucho menos que si lo haces tuyo. Te invito a ver y sentir cómo, cuando hacemos una **escucha sensible**, el otro se calma y se siente mejor. En el **Manual para Vivir desde el Ser** veremos más concretamente cómo trabajar la **escucha sensible**.

Recibo las proyecciones del otro

El otro no existe. Bueno, en realidad no lo podemos ver desde este nivel de consciencia. El otro no es más que un mensajero que nos trae el mensaje que solicitamos desde el Ser, antes de nacer. Y es desde este punto de vista que trabajaremos las **Proyecciones** para poder hacernos 100% responsables de nuestras percepciones, de las vivencias que tenemos.

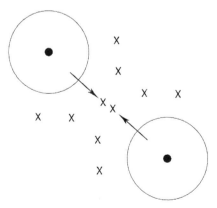

No nos relacionamos con el otro, sino con nuestra proyección (X)

Con este gráfico pretendo ilustrar el hecho de que cuando nos relacionamos con alguien, lo hacemos en realidad con una **Proyección** propia. La imagen que vemos del otro está totalmente sesgada por nuestra percepción, por nuestros **Miedos del Ego,** y por nuestra historia personal. La prueba de que esto es así lo podemos ver al comparar las opiniones de diferentes personas sobre una misma imagen.

Te reto a comprobarlo. Reúne a algunos amigos y muéstrales, por ejemplo, diferentes fotografías o imágenes de personas interrelacionándose o de varias personas juntas. Luego pídeles a cada uno que describa lo que ve. ¡Te sorprenderá la variedad de puntos de vista! Y es más, cada opinión tiene que ver con la vida, las dudas, los miedos, las vivencias de la persona que opina.

"Las opiniones hablan de quién opina".

Un ejemplo. Recuerdo una vez, durante una época en la que practicaba mucho ciclismo, y podía entrenar gracias a que tenía un trabajo con turno de tarde, nos cruzamos con unos obreros almorzando fuera de una obra. Uno, el más grueso, mientras estaba sentado con un litro de cerveza a un lado y un bocadillo enorme entre las manos, nos soltó un, "¡vagos, que sois unos vagos!"

Cuando alguien proyecta está hablando de sí mismo. Su grito dejaba entrever una sensación de desdén (ver *Escucha sensible*). Es decir, el vago era él y el que sentía desprecio también. Seguramente estaba trabajando para un jefe con el que no tendría buena sintonía y que le trataba como un inútil. Cuando alguien te trata así, se te quitan las ganas de trabajar. Lo estaría pasando mal.

Por mi parte, yo podía haber hecho mía esa **Proyección,** y en vez de comprender lo que sucedía a aquel hombre, podía haber entendido su comentario desde mis propios filtros y sesgos. Por ejemplo, soy bastante perfeccionista, así que podía haber entendido que me estaba diciendo que no estoy atendiendo a mi trabajo. En ese caso, al no hacer una escucha sensible, me hubiese ofendido y puede que le hubiese contestado de vuelta con malas maneras.

"No hagas tuya la proyección del otro, siéntela y compréndele".

A cambio, hice una escucha activa y pude "leer" su situación a través de su comentario. Si esto fuera un encuentro más directo, habría incluso conseguido que se sintiera escuchado, que se sintiera mejor. Y sin necesidad de decirle nada. ¡Recuerda, las **Proyecciones** no son un arma arrojadiza! Nunca digas a nadie que está proyectando. Una, porque es de mala educación. Y dos, porque entonces estás proyectando tú.

"¡Las proyecciones no son un arma arrojadiza!
No eches en cara al otro que está proyectando".

Cuando adquieres práctica con las **Proyecciones,** contigo y con los demás, llega un punto en el que con una sola frase puedes comprender muchísimo de la otra persona. Puede parecer incluso que lees la mente del otro o que estás entrando en su psique. Pero no es magia, es sólo escucha sensible, comprensión y compasión. Aunque para llegar a esto has de haber identificado primero tus **Proyecciones** y **Miedos del Ego**.

Por ejemplo, yo sé que mi punto flaco a la hora de escuchar una proyección es la soledad. Es mi sesgo a la hora de ver las **Proyecciones** del otro. Si me hablan de la soledad, mi tendencia es a colorear esta palabra con mi propia carga emocional basada en mis miedos y recuerdos. Sé que no me puedo fiar de mis percepciones de la misma manera, así que hago más preguntas para comprender mejor el punto de vista del otro.

"Todo es según el color del cristal con que se mira".

Una buena forma de practicar leer las **Proyecciones** de los demás es escuchando a los políticos. Al verlos en la televisión, será difícil que podamos hacer una escucha sensible, porque hay más distancia emocional, pero para empezar a practicar esto es una ventaja. Podemos escuchar las críticas y aplicarlas al que las pronuncia, sin tener que lidiar con emociones en las que nos podemos enganchar (bueno, ya sé que depende, pero hagamos el esfuerzo).

Por ejemplo, cuando George W. Bush decía que Sadam Hussein tenía armas de destrucción masiva... ¿Quién era realmente el que poseía las cabezas nucleares? Es especialmente interesante escuchar insultos entre partidos, ya que da una imagen muy precisa de los problemas internos de cada uno, si comprendemos las **Proyecciones.** Es muy importante escuchar sin querer favorecer ningún partido. Y también tener en cuenta que la veracidad de la crítica no resta fuerza a la **Proyección.**

"No importa si una crítica es cierta o no. Sigue siendo una proyección que se refiere a la persona que la ha pronunciado".

Una vez que ya has cogido un poco de práctica escuchando a políticos hablar mal de los demás, puedes intentarlo con personas que te critican a ti. Aconsejo mejor empezar con comentarios que no te afecten demasiado, que provienen de personas que no son tan cercanas. La clave está en comprender que la emoción que sientes cuando alguien insulta o critica no es tuya, sino del otro. ¡Eres más sensible de lo que crees! Sostenla en tu cuerpo un momento. Te va a dar muchas pistas sobre el mundo interno de esa persona.

"Cuando te sientes mal porque otro critica o insulta, esa emoción no es tuya, es del otro".

Luego escucha sus palabras y piensa que en realidad está hablando de sí mismo y no de ti. Es verdad que esto cuesta mucho y que nuestro Ego inmaduro quiere defenderse del ataque, pero intenta practicar este ejercicio mental de darle la vuelta a lo que escuchas como si el otro estuviera hablando de él mismo. Te puede ayudar pensar, "anda que tú", para poner un poco de distancia y darte tiempo a reaccionar, aunque, por favor, no lo digas en voz alta porque es de mala educación y hace daño.

Hacer una **escucha sensible** y leer las **Proyecciones** de personas con las que tienes una relación más cercana e íntima es mucho más complicado, porque nuestras emociones nos nublan más la vista, pero no es imposible. Requiere hacer primero un trabajo personal más profundo y directo, que es el que te propongo en el **Manual para Vivir desde el Ser.**

El otro es mi espejo

Por supuesto, puedes elegir no trabajar con las **Proyecciones,** o hacerlo sólo a veces. Pero si lo haces continuamente, cada vez que algo o alguien te perturba, irás alineándote cada vez más con tu Ser. A esto también se le llama estar centrado.

El astrólogo **Eugenio Carutti** plantea la fórmula siguiente:

Energía = identidad + destino

Somos energía y cuando encarnamos proyectamos trocitos de nosotros sobre el escenario de nuestra vida. Esto en astrología se ve en el diseño del mandala de la carta astral (ya lo vimos en *Centrado en ti*). Cada planeta es una parte nuestra que no reconocemos como propia de entrada, pero que conforme nos vamos conociendo, y adquiriendo identidad, vamos integrando en nuestra personalidad. De la misma manera, cuando no somos conscientes de quiénes somos, cuando no vivimos desde el Ser, la energía que somos se manifiesta como destino. Es decir, a menor consciencia, más reactivos somos y más destino sufrimos. Pero a mayor identidad, menor destino y más proactivos somos.

Los planetas ubicados sobre el mandala de mi carta astral representan trozos de mi psique que he de integrar.

Nuestra labor de desarrollo personal es pues recoger esos trozos de la propia psique que echamos sobre el mundo y los demás, si queremos **Vivir desde el Ser** una vida más plena y fluida. Hacer este trabajo de manera sistemática, automáticamente te va alineando con tu centro, con tu Ser, y te acerca a encontrar tu misión de vida.

Esto es algo que he ido comprobando en mis cursos y en mi consulta. En cuanto dejas de echar las culpas fuera, conoces tus **Miedos del Ego**, y empiezas a mirarte a través de las **Proyecciones**, de forma natural empiezas a fluir en tu vida y conectas con tu propósito. Y es que **Vivir desde el Ser** implica ser coherente, conectar con tu misión de vida y con aquellas personas con las que puedes tener una sintonía y una sinergia naturales (ver *Coherencia interna*).

Descubriendo mis talentos detrás de mis sombras

Pero requiere mucha humildad mirarse las propias **Proyecciones**, porque descubriremos todo aquello que preferimos echar fuera y que calificamos de malo. A nadie le gusta ver sus sombras, pero todos las tenemos.

Las sombras son fruto del desconocimiento de uno mismo. Cada ser humano en este planeta es único y posee unos talentos y unas cualidades maravillosas. Sin embargo, debido a cómo hemos sido criados en la sociedad patriarcal, tenemos miedo a nuestra propia grandeza. En la **Era del Comercio** se favoreció la pertenencia al grupo y la lealtad al rey antes que al individuo. Debido a esto, nadie podía perseguir sus sueños ni demostrar todo su valor (excepto quizá el rey). Lo más importante era ser uno más y no destacar. Mostrar lo que te hace genial podía ser muy peligroso e incluso costarte la vida.

La consecuencia de esto fue rechazar ciertos aspectos de nosotros mismos y proyectarlos sobre los demás, y en especial, sobre nuestros enemigos. Sin embargo, estas cualidades que rechazamos son un lado de una polaridad. El otro lado es esa cualidad en "positivo", es decir, la versión más adaptada socialmente porque te pone en el lugar de la víctima. Y la integración de ambos lados nos da un talento.

"Detrás de cada sombra hay un talento".

Al desconocer nuestros talentos y cómo funcionan, experimentamos esa cualidad de manera polarizada. Como no somos conscientes de cómo y cuándo operarlos, nos salen de cualquier manera. A veces manifestamos esa cualidad de una manera socialmente adaptable. Pero otras lo hacemos de modo más reprobable, aunque no podemos admitírnoslo y por eso lo proyectamos fuera y decimos que es el otro quien se comporta así.

Un ejemplo. Imagina un hombre que tacha a su jefe de manipulador. Esa cualidad en realidad le pertenece a él, aunque no lo quiera admitir. Es un manipulador, pero como está mal visto, no puede aceptarlo y por tanto no puede desarrollar la cualidad de manera consciente para usarla como un talento. Por eso lo proyecta sobre su jefe. La otra polaridad de esta cualidad es ser manipulable. Así que esta persona también le pasará que en ocasiones le manejan como un títere.

"Cuando desconocemos nuestros talentos, los vivimos de manera polarizada como cualidades que no podemos controlar".

El talento, integrando las polaridades, es la capacidad para influir e inspirar a los demás. Pero el hombre del ejemplo seguramente piense, "quién soy yo para decirle nada a nadie" o "yo qué tengo que enseñar", y siga criticando a su jefe.

Sin embargo, si reconocemos nuestras sombras, si vemos de qué manera las vivimos en una polaridad y otras veces en otra, podremos entonces hacernos cargo de ellas y saber cuándo actuar así o no. Es decir, siguiendo este ejemplo, si este hombre se hace consciente de cómo manipula y cómo es manipulado, podrá empoderarse y dejar de mostrar las peores caras de esa cualidad. Y desde allí, podrá elegir el camino de vida en el que pueda expresar su talento para inspirar a los demás.

Otro ejemplo. Un día fui a un restaurante en un pueblo de costa, de esos en los que las mesas están muy cercas unas de otras y lo que quieren es llenarlas todas. Hacía calor. En la mesa de al lado había un hombre de constitución grande y poca forma física, con una camiseta sin mangas que dejaba entrever su constitución sedentaria.

Me irritaba su presencia, a pesar de que el hombre no había hecho nada que me pudiera molestar. Así que decidí analizar qué estaba yo proyectando sobre él. De todas las cosas que uno se puede imaginar, a mí lo que me molestaba es que yo sentía que él invadía el espacio de los demás.

Así que empecé a pensar de qué manera yo invado a los demás y de qué manera me dejo invadir. Yo invado cuando me preocupo demasiado por problemas de mis amigos, cuando me meto en los asuntos de los demás. Y me dejo invadir cuando permito que la gente me cuente sus problemas. Y también me puse a pensar de qué manera yo impedía que los demás me invadiesen, es decir, cómo me cierro a los demás, y por tanto los excluyo…; ¡y luego me siento sola!…

Este invadir y ser invadido es un gran talento en consulta y en mis clases, me permite sentir e influenciar positivamente a mis clientes y alumnos. Así es cómo me pude dar cuenta de que soy una terapeuta psíquica y de mi capacidad para recibir información. Pero fuera de este contexto, no pocos problemas de relaciones me han traído cuando era más joven; ¡y con razón!

Al hacerme consciente de mi sombra y su polaridad, puedo ahora elegir en qué momentos puedo activar este talento y bajo qué circunstancia, sin necesidad de experimentar ya sus polaridades…

Un trabajo para toda la vida

Bueno, casi. Esto es un trabajo para toda la vida. Es verdad que al principio ves grandes resultados y avances, pero siempre quedan flequillos y cosas por revisar. Lo normal es tropezarte con tus sombras, con tus patrones, con tu impronta, con tus relaciones…, y con tus padres, una y otra vez. Aunque el tema se repita, siempre hay una vuelta de tuerca nueva que dar.

El trabajo de desarrollo personal no se termina nunca, aunque consigas **Vivir desde el Ser**. No vale decir aquello de, "eso ya lo tengo superado", porque tarde o temprano te encontrarás viviendo esa experiencia desde otro ángulo, desde otro punto de vista. Además, en este mundo estamos todos unidos y no evolucionamos sino es junto a los demás. Si "terminas" con tu trabajo, te encontrarás haciendo la labor "de limpieza" para otros, aunque lo vivas de manera personal.

Así pues, aconsejo mucha humildad y ganas de trabajar, que los frutos a lograr son maravillosos: descubrir tus talentos, empoderar a tu niño interior, y dar lo mejor de ti para el bien común y para crear un mundo mejor junto a los demás. Un **Mundo en Red** en donde todos aprenderemos a **Vivir desde el Ser**.

El siguiente capítulo es un manual práctico en el que desarrollo la aplicación de las diferentes herramientas que he ido proponiendo a lo largo del libro. Contiene referencias a las páginas en las que explico la "teoría", para que resulte más fácil y útil.

Manual para Vivir desde el Ser

Este capítulo es el **Manual para Vivir desde el Ser**. En él reflejaré lo que para mí son los pasos fundamentales y consejos que te pueden ayudar a vivir de una manera más alineada contigo mismo, así como la manera de trabajar con las herramientas específicas mencionadas a lo largo del libro, a saber, los **Miedos del Ego**, la **Estructura del Ego** y las **Proyecciones**.

Si quieres puedes empezar el libro por este capítulo, directamente con la intención de usarlo como manual. En ese caso, aconsejo que leas primero el capítulo o sección correspondiente, para dar sentido luego a los ejercicios. Los títulos de este capítulo, refieren directamente al capítulo o sección correspondiente.

ALGUNAS PREMISAS BÁSICAS

Lo primero que necesitamos hacer es conocer cómo funciona nuestro Ego y nuestra mente y prepararnos para hacernos receptivos a los cambios que implica **Vivir desde el Ser**. Empecemos con unos consejos básicos.

Abre y flexibiliza tu mente. Realiza pequeños cambios en tu rutina. Cambia de ruta cuando vayas a trabajar o cuando lleves los niños al colegio. Levántate a otra hora. Cambia las cosas de sitio. Viaja, si es lejos y en solitario, mejor que mejor. Ábrete a la gente, comunica más. Únete a un grupo, a una asociación, de gente diferente a ti. Aprende o estudia cosas nuevas. La idea es posicionarte en modo abierto y receptivo. El mejor estado de partida para hacer un trabajo personal de desarrollo y conocimiento es el de estar abierto a adaptarse a algo nuevo y con una actitud de escucha, observación y receptividad.

Este estado puede resultar incómodo, porque implica ser vulnerable, no saber responder, no saber lo que va a pasar. A esto se le llama estar fuera de la zona de confort. Pero si no salimos fuera, nunca podremos cambiar. Es más, para **Vivir desde el Ser,** lo ideal es siempre estar fuera de tu zona de confort, receptivamente abierto y vulnerable.

Al principio puede que cueste y que la tentación sea refugiarse de nuevo en lo conocido, en la rutina, en los circuitos neuronales de siempre. Pero si se practica una y otra vez el salir de la rutina, del propio orden; si permites que las circunstancias de la vida, que los demás, te saquen de tu zona de confort, al final descubrirás que se puede estar abierto, receptivo, vulnerable, pero sentirse seguro en uno mismo, porque te apoyas en tu propio centro, y das lo mejor de ti desde allí, desde el amor.

Vivir desde el Ser implica cambiar los circuitos neuronales y simplificarlos para ser más flexible y adaptable. Para lograrlo, no sólo es importante cambiar y soltar rutinas, sino también abrirse a relacionarse con personas que no conoces, que son diferentes a ti. Para muchas personas esto resulta difícil, precisamente porque no hay nada más transformador que los vínculos interpersonales que no están sujetos a roles prestablecidos.

Relacionarse desde el Ser es un verdadero ejercicio de adaptación continua para lo que la comunicación real y sincera es imprescindible si se quiere respetar la libertad propia y del otro. Por el contrario, las relaciones en base a roles se sostienen por acuerdos tácitos de inmovilismo. En ellas el amor se define en base a la fidelidad a una misma manera de comportarse ante el otro. Algo que en esta época difícilmente se sostiene.

Amplía tu punto de vista (Ver *La culpa, La culpa, otra vez y Atravesando el Techo del Ego*). La culpa nos mantiene en la inconsciencia y en la dualidad, es decir, en el Ego inmaduro. Una de las primeras cosas que hay que hacer cuando se empieza un trabajo de desarrollo personal es soltar la culpa, y en su lugar, asumir nuestros errores y hacernos responsables de nosotros mismos. Si te quedas encerrado en tu pequeño mundo, excluyendo una parte de la realidad, echando culpas fuera, sin salir de tu zona de confort, no puedes desarrollarte, no puedes madurar tu Ego y, por tanto, no puedes llegar a **Vivir desde el Ser**. Viajar y conocer a gente diferente además de flexibilizarte, te ayuda a ampliar tu punto de mira, y por tanto a relativizar tus problemas. Asimismo, cuando entras en **Disonancia cognitiva**, cuando una creencia que sostienes y una idea nueva no encajan y te provocan tensión interna, ampliar tu punto de vista es el secreto para poder reconciliar e integrar ambas. Reconocer que no es personal (por esto son tan buenos los grupos de autoayuda), que toda experiencia tiene sentido y sirve un propósito, te ayudará a reconciliar las creencias que entran en conflicto, y por tanto, te ayudará a salir de tu zona de confort.

No hay mal que cien años dure. Cuando estamos en plena crisis y sufriendo, tenemos la sensación de que la gravedad de lo que nos ocurre es máxima. Pero al igual que dejamos de creer en los Reyes Magos cuando nos hacemos más mayores, a pesar de tener fe ciega en ellos de pequeños, con el tiempo, todo pensamiento mágico se diluye. Y uno de los pensamientos más mágicos que existen es creer que eres el centro del universo. Un ejercicio muy sencillo para relativizar la importancia de lo que te sucede en el momento es imaginarte cómo lo vivirás dentro de unos días, o dentro de unas semanas o meses…, o cómo será en unos años observar desde allí lo que hoy te angustia. Muchas de las experiencias que nos preocupan pierden casi toda su fuerza al cabo de relativamente poco tiempo.

Todo es para algo. Toda experiencia tiene sentido, porque todo es aprendizaje. Si en vez de resistirnos y echar la culpa fuera, adoptamos esta actitud, "Todo es para algo", la integramos, nos será mucho más fácil transitar experiencias sin tanta resistencia. Ahora eso sí, es importante mantener una mente abierta y sin expectativas. No se trata de averiguar inmediatamente para qué sirve tal o cual experiencia, porque al razonar estaríamos cerrando nuestra mente. En la vida no hay errores, aunque algunos sucesos nos provoquen situaciones tremendamente angustiosas. Si estás en medio de una situación que te hace sufrir mucho, es difícil que veas otra cosa. Pero hasta el sufrimiento y la tristeza tienen un propósito: favorecen el desarrollo de tu córtex frontal e incrementan las de ondas alfa cerebrales. De esta manera te haces más sensible al mundo. Literalmente entras en resonancia con la frecuencia de la Tierra (Resonancia Schumann), y así puedes conectar con el resto de seres del planeta y con las sincronías y la magia de la Vida.

Nada es personal. Tú sólo eres una consciencia más viviendo una experiencia humana. Como consciencia eres un Ser único, por el conjunto de experiencias y talentos que se combinan en ti. Pero como ser humano, eres sólo uno más que vive ese tipo de problema o situación. Lo que tú vives lo han experimentado otros. Lo que tú resuelves, alimentará la consciencia colectiva y servirá a otros que transiten por lo mismo (Ver *El subconsciente colectivo y la consciencia*). Cuando hay un número suficiente de personas que han vivido y resuelto un determinado tema, se produce un punto de masa crítica, a partir del cual el resto de la Humanidad lo tendrá muy fácil para resolver ese mismo problema. Por ejemplo, el acoso laboral. Los primeros en sufrirlo y empezar a resolverlo lo pasaron muy mal, sin embargo, hoy en día ya es un problema menos relevante que se soluciona con mucha más facilidad que hace una o dos décadas. Así que, recuerda, nada es personal. Todo es colectivo.

Nos influyen energías colectivas. El tiempo, los astros…; existen energías colectivas que nos influyen a todos. Cuando te encuentres con un mal día, ya sea porque te sientes solo, estás triste, la rabia te embarga, te sientes con desesperación…, empieza por compartirlo con los demás (con ligereza, nada de dramatismos), preguntando qué tal están ellos. Contrasta tu estado con los demás a modo de curiosidad. Si no tienes la oportunidad, consulta el pronóstico, las corrientes energéticas que afectan a la humanidad, en la página de algún psíquico o astrólogo serio (no me refiero a leer los horóscopos de algunas revistas). Nos activan las mismas energías a casi todos. Nos sentimos revueltos, enfadados, tristes, desesperados, etc., por oleadas. También puede suceder que viene un cambio de tiempo: tormenta, viento, los cambios de estación y de temperatura nos afectan más profundamente a nuestro estado emocional de lo que creemos. Cuando descubres esto, dejas de tomarte las cosas de manera tan personal.

Sé humilde. Para hacer un trabajo de desarrollo personal, la humildad es fundamental. Ver los propios miedos, defectos y sombras no es agradable, al principio. Es muy tentador echarle la culpa a los demás, y en especial a la pareja, a los hijos, padres o personas más cercanas. Es todo un reto, sólo apto para valientes, sostenerse en la visión de lo peor de uno mismo. Aunque la recompensa es enorme.

Ámate. Y no te olvides de amarte. Amar incluso los errores que más podrías detestar. Amar tus fallos, tus defectos, tus meteduras de pata, e incluso amarte cuando te das cuenta de que has hecho daño a los demás. Para **Vivir desde el Ser** has de integrar todos los trocitos de ti desperdigados por la culpa. Si te odias, si te rechazas, te divides. Integrarte es amarte.

Anota lo que vives. Lleva contigo una libreta y apúntalo todo. Lo que sientes, lo que descubres de ti. Los bloqueos. Las dudas. Escribir, poner palabras, saca lo inconsciente a la consciencia. Cuando no encuentres sentido o solución a algo, pero aún te ronda y te reconcome, anótalo y pídele al Universo (o a quien quieras) que te lo ordene… Y, por favor, no te olvides de añadir, "y que sea lo más fácil y suave posible".

LA MENTE Y LOS MIEDOS DEL EGO

En el segundo capítulo vimos la importancia de reconocer los circuitos de aprendizaje involuntario (si hay alivio, no hay control, y hay baja autoestima) y voluntario (satisfacción, control, sube autoestima) para dejar de ser reactivo y empezar a ser proactivo. A continuación, mostraré como trabajar las emociones y los pensamientos que las producen. De esta manera se logra aquietar la mente (ya que deja de huir de las sensaciones del cuerpo) y se obtiene control sobre las emociones, al comprender el **Miedo del Ego** subyacente. Consecuentemente, se produce una mejora de la autoestima.

Los bloqueos son buena señal. No es complicado, aunque las primeras veces que uno intenta realizar un trabajo personal siempre se va a encontrar muchas resistencias. Toparse con estos bloqueos es en realidad señal de que vas por buen camino. Si te encuentras con resistencias, si te sientes ansioso, frustrado o irritado, con ganas de echar a correr, es que se ha activado un miedo y tus mecanismos de defensa. Resiste, si puedes, si no, anótalo y vuelve a mirarlo más tarde. No es ningún fracaso, es normal. Hay a quien le cuesta más y a quien le cuesta menos.

Alivio o satisfacción

En *La Mente, un mecanismo de defensa* vimos que aprendemos cuando sentimos una recompensa, en la forma de alivio o satisfacción, ante lo que pensamos o hacemos.

• **Cuando la recompensa es alivio,** no tenemos control consciente de la respuesta, ya que ésta es involuntaria, regida por nuestro cerebro primitivo. Cuando nuestros pensamientos y conductas se rigen por esta recompensa, somos reactivos. Es decir, reaccionamos ante las cosas que nos suceden. Éste es el nivel de respuesta del Ego inmaduro.

• **Cuando la recompensa es satisfacción,** sí tenemos control sobre la respuesta. Hemos tomado conscientemente la decisión de ese pensamiento o conducta, y hemos comprobado el resultado. Elegimos. La autoestima aumenta en la medida que elegimos conscientemente lo que pensamos y hacemos. Las cosas no nos pasan, sino que somos nosotros quienes creamos y somos responsables de lo que hacemos. Nos convertimos en proactivos y el Ego madura.

*Observa y anota cuándo actúas de manera reactiva, por alivio, y cuándo de manera proactiva, por satisfacción. Una pista, cuando reaccionas y obtienes alivio la mayor parte del tiempo, no estás a gusto con tu vida, no estás viviendo desde el Ser, sino que estás siempre intentando defenderte ante lo que te sucede. Para ser más proactivo y menos reactivo, es imprescindible conocer tus **Miedos del Ego**.

Pensamientos, emociones y los Miedos del Ego

Desde el Ego, la mente no es más que un mecanismo de defensa mediante el cual ilusoriamente nos protegemos de los demás, motivados por nuestros **Miedos del Ego**. El mundo emocional que hasta hace poco ignorábamos y ahora incluso sobrevaloramos no es más que una creación de nuestra mente para, en la intensidad de la emoción, aportarnos la ilusión de que estamos empoderados, de que estamos en control. La emoción es fruto de nuestra interpretación de una realidad de la que, en el fondo, ni siquiera somos conscientes.

No soportamos sentir una energía, una vibración y no saber de dónde viene, por eso la mente huye de lo que nuestro cuerpo percibe, separándose de él y generando sus propias emociones. Recuerda:

Sensación - Pensamiento - Emoción

***Observa cómo tu mente genera emociones.** Te invito a observar primero qué emoción estás sintiendo, en especial cuando algo te ha movido mucho, es decir, cuando ésta es intensa, y en qué parte del cuerpo la ubicas. Al principio, en caliente no se puede o resulta muy difícil. Hazlo más tarde, al final del día o cuando tengas un momento tranquilo contigo mismo. Anótalo.

Luego busca la interpretación que ha generado esa emoción. ¿Qué pensabas? Ese pensamiento seguramente será extremista, exagerado y/o absolutista, y demasiado general, por tanto, será necesario tirar del hilo para descubrir el pensamiento original, el que está basado en uno de los tres **Miedos del Ego**.

¿Cómo tiramos del hilo? En primer lugar, pregúntate si cualquier persona del mundo se sentiría igual que tú con ese pensamiento. La respuesta seguramente será que no. Por ejemplo, hay gente pobre que es feliz, hay personas sin brazos ni piernas con vidas plenas, hay quien vive solo y lo disfruta. Entonces has de preguntarte por qué esa situación te molesta, por qué es mala para ti. No vale decir que no es importante, que da igual, que tampoco es para tanto. Has de dejarte sentir y decir lo primero que te viene a la cabeza. Si esa respuesta aún no se corresponde con uno de los tres **Miedos del Ego**, sigue tirando del hilo. ¿Qué es lo peor que te puede pasar?

Cuidado con dejar que la mente busque explicaciones y justificaciones. Si hay una emoción fuerte, hay una interpretación basada en un **Miedo del Ego**. Observa cómo te distraes y te cuesta ver el miedo. Un truco, pon la atención en el cuerpo. ¿Dónde sientes el miedo? ¿Cómo es esa sensación y cuán fuerte es? Si te centras en el cuerpo, la cabeza no puede distraerse.

Resumiendo:

1. Date cuenta cuando sientes una emoción exagerada. Si es intensa o extrema, si te lleva a perder el control, si te hace sentirte mal después, si perjudica tus relaciones…, es exagerada.

2. Localiza en qué parte del cuerpo la sientes: abdomen, tripas, estómago, corazón, pecho, garganta…

3. Busca el pensamiento que generó esa emoción:

   • ¿Qué pensaste?

   • ¿Es exagerado o radical? ¿Has generalizado? Para saberlo mira a ver si es un pensamiento absolutista, tipo "siempre", "nunca"…

   • Analiza si ese pensamiento provoca la misma emoción en todas las personas del mundo. Seguramente no, por tanto, hay que tirar del hilo:

- Pregúntate, por qué es malo para ti ese primer pensamiento. Anota lo primero que te viene a la mente, aunque sea absurdo.

- Si aún no coincide con uno de los **Miedos del Ego**, sigue tirando del hilo, ahora del segundo pensamiento:

- Pregúntate qué es lo peor que puede pasar en caso del segundo pensamiento.

- Continúa tirando del hilo todo lo que haga falta…; ¿por qué es eso malo para ti?, ¿qué es lo peor que puede pasar?

4. Identifica el **Miedo del Ego** subyacente: abandono, rechazo o descontrol.

Por ejemplo. Llegas a casa por la tarde y ves a tu hijo tirado en el sofá, viendo la televisión y no ha recogido los platos de la comida. Te enfadas muchísimo y le gritas que es un inútil y un vago.

- ¿Qué emoción sientes? = "rabia"

- ¿En qué parte del cuerpo la sientes? = "en la barriga; es como un remolino muy fuerte"

- ¿Es intensa? = "sí"

- ¿Qué pensamiento provocó esa rabia? = "mi hijo es un inútil y un vago"

- ¿Es exagerado? = "sí, porque he generalizado: en mi pensamiento, mi hijo es 'siempre' un inútil y un vago".

- ¿Cualquier persona del mundo se enfadaría con tanta rabia si piensa que su hijo es inútil y vago porque no ha fregado los platos y está tirado sobre el sofá? = "No, no a todo el mundo le molesta eso. Hay a quien le puede dar igual."

- Empieza a tirar del hilo: ¿Por qué es malo para ti que tu hijo esté tirado en el sofá y los platos sin fregar? – "¡porque no me obedece!" (este pensamiento no refleja un **Miedo del Ego,** pero nos vamos acercando.)

· ¿Qué es lo peor que te puede pasar si no te obedece? = "que me tome el pelo"

· ¿Y si te toma el pelo, qué es lo peor que te puede pasar? = "nada"...

· "Nada" no es una respuesta válida... ¿Por qué es malo para ti que te tomen el pelo? = "me viene una imagen de que me apedrean, de que me matan"

· Bien, miedo a que te maten violentamente, eso es **Miedo al descontrol** (Ver *Los Miedos del Ego*).

En este ejemplo, la persona se enfadaba con su hijo de manera exagerada porque en el fondo tenía miedo a que le maten apedreada. Esto puede parecer absurdo, pero ese es el motivo por el cual la mente huye del cuerpo generando sus propias emociones. En otras palabras, había una Memoria celular activa de muerte por apedreamiento y una profunda desvalorización. Ver al hijo tirado en el sofá sin fregar los platos activa esa memoria que nunca ha sido adecuadamente gestionada, y por tanto provoca una reacción exagerada de una profunda desvalorización y destrucción. Esa reacción alimenta al Ego inmaduro y te separa del Ser.

Otro ejemplo. Llegas a casa por la tarde y ves a tu hijo tirado en el sofá, viendo la televisión y no ha recogido los platos de la comida. Te frustras y te sientes triste porque no está haciendo algo de provecho y porque no has sabido inculcarle tus valores.

· ¿Qué emoción sientes? = "injusticia"

· Eso no es una emoción. ¿Qué sientes? = "frustración; siento como que algo se encoje en mi corazón...; tristeza, un poco"

- ¿En qué parte del cuerpo la sientes y cómo la sientes? = "siento como que se encoje mi corazón y también que se me cierra la garganta".

- ¿Es intensa la sensación? = "…supongo que sí, me duele…"

- ¿Qué pensamiento provocó esa sensación? = "veo a mi hijo allí tirado y me da pena que no sepa hacer nada con su vida…, y para mí es frustrante"

- ¿Por qué es frustrante para ti? = "porque creo que no lo estoy haciendo bien como madre, y porque me da cosa de que cuando sea mayor no vaya a encontrar trabajo"

- ¿Es exagerado? = "no veo cómo, porque si sigue así no podrá ser un miembro de la sociedad útil".

- Creo que sí es exagerado, porque el que tu hijo esté tirado en el sofá no implica que siempre estará así, que nunca [jamás] podrá ser una persona responsable de mayor, ni tampoco que tú hayas fracasado [absoluta y categóricamente] como madre = "visto así…, lo comprendo; es verdad, es un poco exagerado"

- A ver, piensa, ¿cualquier persona del mundo se sentiría tan frustrada y derrotista si piensa que su hijo está tirado en el sofá en vez de hacer lo que debe? = "No quizá no."

- ¿Por ejemplo; en qué situaciones no? = "pues, si es un niño con un problema físico y no puede caminar, se entiende que esté tirado en el sofá; o también hay gente a la que no le importa lo que sus hijos hagan de la misma manera que a mí…"

- Vale, entonces empieza ahora a tirar del hilo: ¿Por qué es malo para ti que tu hijo esté tirado en el sofá y los platos sin fregar? = "bueno, tampoco creo que pase nada".

- No se trata de lo que creas que pasa o de si tienes razón en sentir lo que sientes, sino de reconocer la emoción que has sentido y ver qué pensamiento hay debajo, aunque parezca absurdo. Así que, ¿por qué es malo para ti?, ¿por qué te frustra y pone triste? = "me frustra porque no me hace caso…, siento que soy invisible, que lo que yo digo cae en saco roto. Pero también me duele que de mayor no logre encontrar trabajo"

- Y, ¿qué es lo peor que le puede pasar si no encuentra trabajo?, ¿por qué es malo para ti que no te escuche? = "para mí, si no es trabajador, entonces no le aceptarán en ningún trabajo…; y si no me escuchan…; tengo miedo que me rechacen.

- Es **Miedo al Rechazo** en ambos casos. Miedo a que los demás no te vean como alguien útil y a que no quieran relacionarse por ello contigo.

En este ejemplo, la persona tenía miedo al rechazo y a la exclusión social de ella y su hijo, sólo por ver a éste tirado en el sofá, sin haber realizado las tareas encomendadas. Para ella, el mayor miedo, su principal **Miedo del Ego**, está relacionado con la comunicación y el intercambio. Y el riesgo mayor que percibe, y que le hace entrar en reacciones automáticas, es el de no encajar en la sociedad, el que otros no acepten lo que tiene, dice o hace.

Un ejemplo más. Llegas a casa por la tarde y ves a tu hijo tirado en el sofá, viendo la televisión y no ha recogido los platos de la comida. Te asustas y te enfadas porque ves que se va a perder.

- ¿Qué emoción sientes? = "enfado, porque no me lo esperaba"

- ¿No te lo esperabas? Entonces, ¿también habrás sentido susto? ¿En qué parte del cuerpo has sentido la emoción? = "supongo que sí…; en la zona del abdomen he sentido como un vacío, y en el pecho también he sentido algo…"

- ¿Es intensa? = "imagino que sí, me ha dado un sobresalto"

- ¿Qué pensamiento provocó ese susto y ese enfado? = "es que tengo la sensación de que él se va a perder si sigue allí tirado en el sofá"

- ¿Es exagerado? = "supongo, porque no está perdido, está en casa".

- ¿Cualquier persona del mundo sentiría vacío y enfado si ve a su hijo tirado en el sofá? = "Pues imagino que habrá a quien le de igual, o seguramente a otros les provoque otro sentir, o les moleste otra cosa."

- Vale, entonces empieza a tirar del hilo, ¿por qué es malo para ti que él esté tirado en el sofá? = "supongo que me da igual…, no sé…, es más su problema…, pero soy su madre y tengo que cuidar de él…"

- No te descentres. Sólo te pregunto que por qué es malo para ti, y no importa si tienes razón o no por enfadarte o asustarte. Vuelve a sentir en el cuerpo la emoción, ubícala de nuevo. Observa cómo debajo del enfado sientes un vacío que te hace sentir mucha inseguridad = "sí, es verdad"

- Bien, entonces, ¿qué es lo peor que puede pasar? = "pues que no haga nada con su vida"

- Y si no hace nada en su vida, ¿por qué es eso malo para ti? = "nada, porque yo lo cuidaré"

- No vale decir nada. ¿Por qué es malo para ti que una persona no haga nada en su vida? = "pues me imagino un borracho, tirado en la calle…"

- ¿Y qué es lo peor que le puede pasar? = "que se quede solo, que se muera solo…"

- Sientes **Miedo al Abandono**…

En este caso, el miedo al abandono y el susto inicial que este miedo provoca rápidamente es "enmascarado" por el enfado. El miedo al abandono corresponde al bebé que no tiene forma de reaccionar más allá del llanto o del silencio, por eso el adulto suele desarrollar otras estrategias. Observar en qué parte del cuerpo se siente la emoción nos puede dar pistas para identificar el miedo la mayoría de las veces, pero no siempre (entre otras cosas, porque un miedo se puede enmascarar con otro), por eso es necesario tirar del hilo del pensamiento hasta encontrar el **Miedo del Ego.** Sólo a modo orientativo, éstas son las sensaciones que corresponden a cada uno de los miedos:

- **Miedo al Descontrol:** rabia, ubicada en la zona de la barriga y bajo abdomen, también en la zona de la cabeza. Es una sensación que da calor.

- **Miedo al Rechazo:** injusticia, desequilibrio, ubicada en la zona del corazón -se siente como un puñal, un escudo de cristal que bloquea también la comunicación, o como si el corazón se encogiese- y en la garganta, como si ésta se cerrase. Es una sensación fría.

- **Miedo al Abandono:** resulta difícil detectar el susto subyacente, y la sensación se puede ubicar por el abdomen y por el pecho. Es una sensación difusa y algo inquietante.

Cuando intentes analizar tus pensamientos y emociones para llegar a tu **Miedo del Ego,** es normal que de descentres y te pierdas en justificaciones o que creas que es absurdo lo que sientes. No intentes razonarlo. Observa cuando te distraes (ya que la mente tiende a huir del cuerpo y sus sensaciones), y entonces vuelve a intentar centrarte en lo que sientes y en qué parte del cuerpo lo sientes.

Cuando identificas tus miedos, la sensación es muy liberadora, ya que empiezas a darte cuenta de todas las veces que actuabas impulsado por ellos, y a la vez, puedes empezar a elegir verdaderamente cómo quieres actuar. Y como **Miedo del Ego** principal hay uno, aunque nos afecten todos en diferente medida, pronto encontrarás que casi siempre aparece el mismo miedo.

* <u>**Observa y analiza**</u> tus reacciones para descubrir tu principal **Miedo del Ego.**

LA ESTRUCTURA DEL EGO

Conocer la **Estructura del Ego** nos ayuda a tomar distancia de lo que nos ocurre, a no tomarlo personal. Nos aporta comprensión y claridad, al poder observar el patrón que nos define. La **Estructura del Ego** no es ni buena ni mala, sólo define la trayectoria de nuestro aprendizaje, y también nos indica nuestras posibilidades. Recuerda, que el Ego es sólo un instrumento de comunicación con el mundo, que funciona eficazmente cuando estamos en "modo dar", en vez de en "modo dame".

Resulta interesante calcular la **Estructura del Ego,** dibujarla y luego llevarla encima, por ejemplo, en el móvil, para observarla cada vez que detectas que estás reaccionando desde el Ego inmaduro. Recuerda que no es malo reaccionar desde el Ego inmaduro, sólo necesario para terminar de cocinarlo. El trabajo consiste en hacerse consciente del patrón para así ir madurando el Ego.

Cómo calcular la Estructura de tu Ego. En toda estructura de Ego se combinan, en primer lugar, los tres **Miedos del Ego**, en una secuencia que es única para cada persona y que se puede observar o calcular con cualquier situación de conflicto que esa persona tenga, ya sea importante o nimia. Dado que, si intentamos observar una situación conflictiva que produce mucha activación emocional nos va a resultar mucho más difícil analizarnos, es mejor, para obtener el patrón, considerar una situación cotidiana y de menor importancia.

En este primer paso, después de recordar y escribir una situación, se busca la combinación particular de los tres **Miedos del Ego**, que en esencia se corresponden a las tres energías básicas:

- Abandono -- receptividad /autenticidad

- Rechazo -- intercambio /discriminación

- Descontrol -- expansión / iniciativa

Esta combinación puede darse en cualquier orden, y cada uno de los tres elementos puede aparecer como miedo o como talento, por activa o por pasiva.

Un ejemplo. Mi **Estructura del Ego:** "Cada vez que aparece un amigo que quiere hablar conmigo tengo ilusión por conectar con esa persona, pero termina por contarme todos sus problemas y me satura. Al final, casi no me hacen caso, y sólo recibo unas migajas de atención o de cariño".

Mi patrón tiene los siguientes elementos:

Ilusión por la conexión (receptividad)	—	Me inundan con problemas (descontrol)	—	Recibo migajas (rechazo)

En la primera posición se sitúa el "cuándo". Es decir, cuál es el momento o situación a partir del cual se activa el patrón. En la segunda posición tenemos el "entonces", y en la tercera posición pondríamos la reacción personal, el "y yo" o "para mí". Recuerda que todas las partes del patrón pueden ser vividas indistintamente en primera persona (tú como víctima), en segunda persona (tú como perpetrador) o en tercera persona (lo ves en otros). Seguiría siendo tu patrón.

Siguiendo con mi ejemplo, mi patrón comienza cuando tengo "ilusión por conectar con alguien". Entonces, me encuentro con que la otra persona empieza a contarme sus problemas y me inunda con su energía y emociones. Aunque en otras ocasiones soy yo quien inunda al otro con mi emotividad, con mis ideas, o con mi energía. En tercer lugar, me encuentro con que recibo poca atención, poco afecto, poco tiempo…, o soy yo quien doy poco en otros momentos.

Cada una de estas posiciones corresponde, como hemos dicho, a uno de los **Miedos del Ego**. Si este patrón empieza con receptividad, sabemos que hemos de intentar definir las dos posiciones siguientes según las otras dos energías o miedos. En la página 252 hay una tabla con varios ejemplos que pueden servir de guía para elaborar tu propio patrón. Recuerda, el motivo para buscar los tres movimientos es porque nuestro objetivo es experimentarlos hasta conseguir integrarlos, de tal manera que así lograremos empoderar a nuestro niño interior y dar (con el Ego ya maduro) sus talentos al mundo.

En segundo lugar, debajo de los tres movimientos anteriores, aparece el Ego, que es aquella conducta (aquello que piensas, sientes o haces) que te consume mucha energía y tiempo, y que perdura más allá de la situación. Éste es el momento en el que cocinamos nuestro Ego, y por eso esta conducta requiere continuas repeticiones.

En mi ejemplo, la conducta de alto consumo energético es "autocrítica - crítica analítica". Con este Ego, tengo una buena capacidad para el análisis, pero desde su inmadurez, me machaco mucho, debido a las atribuciones internas.

El patrón de mi Ego es el siguiente:

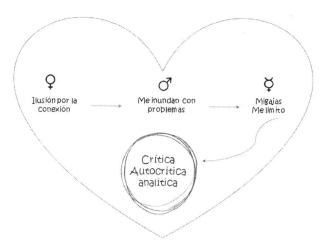

Simbología del patrón:

- El patrón del Ego está rodeado por un corazón para simbolizar que el objetivo es integrar todos los elementos del Ego desde el amor y la aceptación de uno mismo.

- La conducta mediante la que se cocina el Ego está rodeada por un trazo circular repetitivo, para simbolizar la energía que se requiere para cocinarlo.

- Empleo los símbolos que corresponden a los regentes de los primeros tres signos del zodíaco para hacer referencia a los tres **Miedos del Ego** y las tres energías básicas o talentos.

♂ (Aries)	Descontrol	Expansión	Iniciativa Creatividad Acción
♀ (Tauro)	Abandono	Receptividad	Autenticidad Apertura Sentir
☿ (Géminis)	Rechazo	Intercambio	Discriminación Comunicación Pensamiento

* Intenta calcular la Estructura de tu Ego. A continuación, tienes una figura y unas líneas que puedes rellenar para averiguar la **Estructura de tu Ego.** Para cada posición utiliza palabras que tengan sentido para ti. En la siguiente tabla tienes ejemplos de cada movimiento. Es indiferente si están en primera o segunda persona, si tú recibes o si das, porque a veces serás tú la víctima, pero otras eres el perpetrador, y otras, serán las circunstancias que te rodean las que reflejan tu patrón.

No te preocupes por hacerlo mejor o peor. Como te salga está bien. Intenta seguir estas directrices, y luego sobre la marcha podrás ir ajustando. Lo único que importa es que tenga sentido para ti, y que luego observes que efectivamente ese es el patrón que se repite en tu vida, una y otra vez.

LA ESTRUCTURA DEL EGO

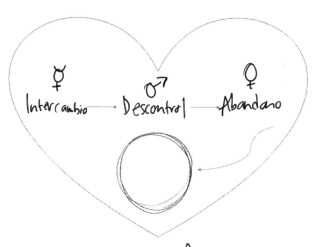

El Ego de .K.arina.. Sánchez.. Vázquez

Cuando .comparto /conecto. con. alguien.........
Entonces .me. agobian. /. los. agobio. /. hay.. conflicto
Y yo / para mí ...huyo. /. soy. la. víctima.. /.lloro
Ego: ....

Tabla de ejemplos para elaborar el Patrón del Ego

Energía	Pos.	Frases*
♀	1º	"me abro" a escuchar, al cambio, a recibir, a comunicar…, "ilusión por conectar", "me dispongo", "las cosas son así", "estoy en paz", "me dispongo", "soy/estoy", "lo sé", "lo veo", "estoy solo", "brillo", "contagio", "atiendo", "vivo la vida de otro"
	2º	"me siento vulnerable", "me siento solo", "dejo hacer", "me aíslo", "nadie hace nada", "me quedo mudo"
	3º	"me salgo", "huyo", "me quedo vacío/en blanco", "soy la víctima", "estoy sin rumbo", "me quedo sin habla", "me quedo solo", "me callo", "lloro"
☿	1º	"hay un cambio", "hay una separación", "hay un movimiento", "no hay entendimiento", "hay un problema", "no encajo", "me muevo", "cumplo", "comparto", "comunico", "conecto", "organizo"
	2º	"ayuda", "juicio", "crítica", "corte de comunicación", "incomprensión", "busco respuesta", "hago mis obligaciones", "soy diferente", "nuevo orden"
	3º	"no hay comunicación", "queja", "justificación", "hago algo útil", "me cierro", "me voy", "me bloqueo", "busco solución", "critico", "me limito", "elijo"
♂	1º	áccidente", "caos", "desprecio", "desastre", "peligro"
	2º	"impotencia", "imposición", "invasión", "atropello", "corte brusco", "angustia", "catástrofe", "ataque", "urgencia", "miedo", "shock", "agobio", "conflicto", "me roban", "broncas", "caos"
	3º	"ataque", "menosprecio", "me siento violada", "me aplastan", "me sacan de mi centro", "me enfado", "caos", "conflicto", "autoridad", "ansiedad", "malestar", "rabia", "descontrol", "carga", "miedo", "estallo"

en esta tabla he separado las frases según las tres posiciones, siguiendo ejemplos reales, pero cualquier frase puede aparecer en cualquier posición. Cada frase igualmente puede expresarse en primera o segunda persona.

Resolviendo la Estructura del Ego. Repetimos una y otra vez nuestro patrón para ir teniendo las experiencias necesarias que nos permitan madurar nuestro Ego, y así poder empoderar a nuestro niño interior y ofrecer sus talentos al mundo, gracias a ese instrumento de comunicación que es el Ego. Repetimos nuestro patrón de la misma manera que los niños pequeños repiten las cosas hasta que consiguen aprenderlas.

Como vimos en *La Estructura del Ego*, generalmente experimentamos nuestro patrón desde los **Miedos del Ego**, y vivimos cada uno de los movimientos que lo componen de manera desintegrada: siempre hay al menos uno que vivimos como algo que "nos sucede", que "nos hacen". No podemos dejar de tener las experiencias necesarias que cada uno necesita para madurar, pero sí podemos arrojar luz sobre ese proceso para vivirlo sin resistencias y de la manera más fácil y fluida posible. En este sentido, el trabajo que propongo es intentar reconocer cuándo vives de manera integrada tu patrón, y cuándo no.

Por ejemplo, en mi patrón: ilusión-inundación-migajas, mi trabajo es, primero, ser consciente de cómo lo vivo: en primera, segunda o tercera persona… ¿Me inundan con problemas?, ¿soy yo la que invado?, o ¿alguien me cuenta que se siente abrumado por sus problemas? ¿Me cierro un poco para no saturarme?, ¿se alejan de mí para no agobiarse?, o ¿soy capaz de filtrar y ordenar los problemas que me cuentan? Y a veces incluso puedo vivir mi patrón de manera simbólica: se revienta un globo (el de la ilusión), se me inunda la casa, o aparecen migas de pan por el suelo…!!!

Para integrar los movimientos, puedo actuar de manera alternativa sobre cualquier de los tres:

- en vez de *ilusión*, aprender a conectar directamente desde mi niña interior (receptividad = niño interior)

- en vez de _inundación,_ aprender a empoderarme y compartir de manera creativa (expansión) mi ilusión, o contagiar desde mi interior = ¡**Vivir desde el Ser**!

- en vez de _migajas,_ aprender a discriminar que me sirve y qué no, a elegir a qué me expongo y a qué no (intercambio); o incluso, elegir abundancia para lo que realmente deseo.

* <u>**Practica con la Estructura de tu Ego,**</u> y observa cómo te relacionas con el mundo y con los demás desde tu Ego inmaduro. Intenta ver también cómo, en qué momentos, desarrollas en positivo tu estructura, cuándo la realizas de manera integrada. ¿Cómo puedes cambiar tu actitud, tu manera de observar lo que te sucede, para empezar a integrar los tres primeros movimientos? ¿Crees que necesitas cocinar aún más tu Ego? Esta herramienta es muy sencilla, pero que da mucho juego para el autoconocimiento. Si además lo trabajas con gente (pareja, familia, amigos…), es mucho más rico, y lo que tú no puedes ver de ti mismo, los demás te pueden ayudar.

Este tema no termina aquí, sino que continúa en la web, con más ejemplos y desarrollos de **Estructuras del Ego** que iré enriqueciendo con los trabajos de mis cursos y con las preguntas de mis lectores y seguidores. Te invito a participar.

En la web www.vivrdesdeelser.com hay una pestaña dedicada a la **Estructura del Ego**, y cómo trabajarla, donde puedes ampliar información. Cualquier duda que tengas al poner en práctica este ejercicio, me puedes preguntar, enviándome un email desde la página.

LA IMPRONTA

Como vimos en _La impronta,_ la situación que vivimos entre la gestación y los 3 años de edad se nos queda grabada como parte de nosotros que no cuestionamos, y la confundimos con seguridad de madre y con amor. Muy pocas personas tienen recuerdos de esta etapa, por lo que la mejor manera de acceder a ese registro es preguntando a tus padres o a las personas que te criaron.

No se trata tanto de que te sucedió a ti, sino qué se vivió en tu entorno. ¿Cómo era la relación de tus padres entonces? ¿Hubo algún cambio de trabajo o crisis económica? ¿Hubo un cambio de domicilio? ¿Murió alguien en la familia, y en este caso, cómo afectó esa pérdida, especialmente, a tu madre? Ten en cuenta que el bebé absorbe su impronta sobre todo a través del filtro emocional de la madre o la persona que ejerce ese rol (a veces pueden ser los abuelos, un hermano, los tíos, el padre...).

* **Escribe cuál era la historia de tu impronta.** Pregunta a tu familia que sucedió en torno a tu infancia. Observa cómo repites o atraes a tu vida los elementos de esta historia, una y otra vez. Toma consciencia de que esa es tu definición de amor. Observa en tus relaciones de pareja cómo has atraído esos elementos, esa historia de la impronta, muy a tu pesar.

Por ejemplo. Imagina a una persona que cuando está siendo gestada en la barriga de su mamá sus padres se separan, y aunque luego vuelven juntos cuando ella nace, nunca se habla del tema. Su impronta incluye aislamiento, distancia y no comunicación. Imagina el tipo de relaciones de pareja que tendrá mientras no haga consciente que esa es su definición de amor. Pero es sólo "Amor seguro de madre".

* **Crea una nueva definición de amor que te satisfaga.** Una vez tienes consciencia de tu impronta, puedes empezar a elegir una nueva definición de amor, más madura, más completa, sin esas "deficiencias" o "errores", y que te satisfaga. Por ejemplo, si tienes un patrón de escasez, puedes poner el foco en la abundancia. Si tu patrón es de injusticia, pon el foco en el equilibrio. Si es un patrón de dependencia, pon el foco en la libertad... Y como toda relación empieza con uno mismo, inicia la frase con la palabra "desde". Así, dirías:

- desde mi abundancia, quiero abundancia en mis relaciones de amor

- desde mi equilibrio, quiero equilibrio en mis relaciones de amor

- desde mi libertad, quiero libertad en mis relaciones de amor

* <u>Observa la relación entre tu Impronta y la Estructura de tu Ego.</u> Descubrirás que tienen muchas cosas en común. De hecho, el **Ego**, por definición, se empieza a forjar cuando eres sólo un bebé.

PROYECCIONES

Antes de entrar en cómo trabajar las **Proyecciones**, quiero hacer unas consideraciones, y recordar algunas puntualizaciones, que ya traté en la sección correspondiente. Cuando uno empieza a trabajar con proyecciones, llega un momento en el que no queda claro qué es de uno y qué es de otro. La tentación de advertir al otro de que es él quien está proyectando se hace muy grande. Pero esto sería incorrecto.

En el momento en el que crees que algo es de otro, eso es tuyo. No hay mayor proyección que decirle a otro que está proyectando. Esto es así porque en realidad sólo podemos ver lo que es nuestro. Mientras haya culpa, habrá un dentro y un afuera, un yo y un otro, habrá juicios y justificaciones. Si algo te molesta, es tuyo. Si necesitas decirle algo a alguien, es porque te molesta. Sólo con una mirada verdaderamente compasiva podremos ver al otro desde el Ser, y desde allí no hay defectos. Cada uno tiene su camino de aprendizaje.

Desde mi punto de vista, ver tus **Proyecciones** es la mayor herramienta de desarrollo personal que existe, si se utiliza bien. Es la mejor manera de recoger los trocitos de ti desperdigados por el mundo, de aumentar la proporción de identidad con respecto al destino. Cuando algo te molesta, te intranquiliza, te perturba, te incomoda…, es tuyo. No busques más allá. De hecho, personalmente recomiendo, especialmente en problemas de relaciones íntimas o de familia, primero trabajar las propias **Proyecciones,** y sólo después confrontar a la otra persona para aclarar cuáles son tus límites.

Practica la escucha sensible. Hecha esta aclaración, como resulta complicado ver las propias **Proyecciones**, recomiendo siempre empezar a observarlas en los demás -pero por favor, no para decirles que están proyectando, sino para desarrollar la compasión-. Para esto hemos de aprender a escuchar con el cuerpo primero, es decir, a ser conscientes de que sentimos la emoción del otro en nuestro cuerpo, y a ser capaz de recibirla con amor, incluso si estás ante alguien que te desagrada o que emite una emoción negativa. Y es que ese <u>amor</u> es en realidad hacia ti, porque esa persona que te resulta antipática o incómoda sólo es tu mensajero, ofreciéndote una muestra de una parte de ti que aún <u>no reconoces c</u>omo propia.

Cómo ya desarrollé en *Escucha sensible*, primero siente la emoción del otro en tu cuerpo sin rechazarla. Ya sólo de hacer esto, la otra persona se va a sentir recibida, lo que hará que la conversación termine siendo más favorable que si te enrocas con tu Ego inmaduro, intentando defenderte..., al fin y al cabo, de ti mismo.

Lee las Proyecciones del otro con compasión. Todo lo que uno opina es de uno. Cuando escuches las palabras cargadas de emoción de otra persona, además de sentir su emoción con tu cuerpo, comprende que sólo está hablando de él mismo. Lo que el otro critica de ti o de otros, sólo tiene que ver con él. Dale la vuelta a sus palabras.

Una buena manera de practicar esto es cuando se habla de política, o incluso viendo a los políticos hablar mal de otros partidos. Así, por ejemplo, cuando George W. Bush decía que Sadam Hussein tenía armas de destrucción masiva..., podemos comprender que quienes las tenían eran los estadounidenses...

* Siente, escucha, comprende con compasión hacia el otro. No es fácil sostener el chapapote emocional del otro cuando critica, te está gritando o cuando echa su enfado encima de ti, pero aprender a sostenerlo y a comprenderlo te ayudará a abrir tu corazón, a ampliar tu mente y a comprenderte mejor. Hazlo por ti.

Observa tus Proyecciones. Una vez que ya has cogido práctica en sentir y ver las **Proyecciones** de otros, tendrás una mejor comprensión de cómo funcionan. Entonces es cuando puedes empezar realmente a analizar las tuyas con mayor sinceridad y humildad. Insisto, aunque nada de lo que te sucede no es tuyo, para facilitar el trabajo de autobservación, es interesante fijarse primero en lo que proyectan los demás, y sólo después en lo tuyo.

Hasta que logres automatizar este análisis a través de mucha práctica, es mejor ver tus **Proyecciones** en soledad y en frío. La primera tarea es hacerse consciente de que estás proyectando. Al principio puede que no te des cuenta enseguida. No importa. Mirarse a uno mismo es un trabajo que requiere mucha práctica y voluntad.

* Escribe tus Proyecciones. Anótalas en un cuaderno que uses para escribir tus reflexiones y tomas de consciencia en tu trabajo de desarrollo personal. Es una **Proyección** tanto lo que abiertamente criticas u opinas de alguien, como lo que te provoca malestar o incomodidad. En este caso, tendrás que primero poner en palabras aquello que te molesta. Luego, cuando tengas un rato tranquilo contigo mismo, analiza tus **Proyecciones**. Utiliza estas preguntas como guía:

- ¿Qué te molesta? ¿Qué criticas?

- ¿De qué manera o cuándo tú eres así o haces eso?

- ¿De qué manera o cuándo tú no eres así o no haces eso?

- ¿En qué momentos deberías ser así o hacer eso?

- ¿En qué momentos eres o haces todo lo contrario?

No vale decir que tú no eres así o no haces eso. La idea es buscar hasta que encuentres el momento, o la manera, en el que sí te comportas así. Recuerda, sé humilde. Cuesta, pero vale la pena... Y no te rechaces cuando veas tu sombra.

La idea es aplicar sobre ti mismo aquello que criticas en otros, y darle todas las vueltas posibles. Recuerda, todo aquello que te molesta o no te gusta en los demás es algo tuyo. Se trata de cualidades que son propias, pero que no reconoces, que no tienes aún integradas en ti. Por ese motivo no tienes control sobre la expresión de ese talento, y te puede salir en negativo, o por donde menos te lo esperas. Debido a la presión social por encajar dentro de unas normas, rechazamos reconocer nuestras **Proyecciones**.

Por ejemplo, un día fui a comer a un restaurante de en una zona de playa que estaba abarrotado de gente. Muy pegado a nuestra mesa había otra en la que se sentaron cuatro personas de no poco volumen. En especial me llamó la atención, o mejor dicho, me irritaba la presencia de un hombre de unos 150kg, o puede que más, bastante alto, diría que sobre 1,90m, y sin forma física definida, pero ocupando mucho espacio. Me sentía muy incómoda, irritada. Fui consciente de que el hombre no era el problema, sino mi proyección, y cuando llegué a casa, me paré a analizarlo:

- **¿Qué me molesta de él?** = para mí, lo que más me irritaba, es que me daba la sensación de que, con su cuerpo, con su volumen, invadía el espacio de los demás.

- **¿De qué manera o cuándo yo invado?** = yo soy delgada y de estatura media, así que tuve que "rascar" un poco más... Y entonces me di cuenta de que, efectivamente, yo invado, y de muchas maneras... Físicamente, cuando llego a un sitio, empiezo a poner cosas encima de la mesa y ocupo todo el espacio. ¡Tendríais que ver mi mesa de despacho! Pero también invado a los demás, energéticamente, emocionalmente, cuando estoy en consulta. En consulta está bien, pero no cuando invado a personas o amigos en otros contextos... Por supuesto sin darme cuenta... De repente comprendí cómo hacía que los demás se sintieran incómodos conmigo, aún sin desearlo ni ser consciente de ello. ¡¡Horror!! ¡¡Qué vergüenza!! Por eso proyectaba fuera este rasgo y por eso me irritaba ese hombre.

- **¿Cuándo no invado?** = cuando me cierro en mí, cuándo he estado deprimida y desconectada de los demás.

- **¿Cuándo sí debo invadir?** = cuando estoy en consulta, para sentir al cliente, para comprender cómo piensa.

- **¿Cuándo me invaden?** = cuando percibo, siento a las demás personas, pero no soy consciente de ello. Cuando escucho por demás.

Hacerme consciente de esta **Proyección** marcó un antes y un después en mi vida. Fue como verme desde afuera. Ahora ya no "invado" inconscientemente a las personas, y tengo más control sobre cuándo usar esa habilidad, ese talento.

Una ventaja de hacer este trabajo con humildad y en profundidad es que llegas a ver lo más esencial de ti. Además, no son tantos los rasgos que se proyectan. Generalmente, te molestan especialmente, o atraes a tu vida, aquellas cualidades que, en un momento determinado, te tocan trabajar. Descubres nuevas proyecciones según temporadas. Es como aprender por etapas, en las que vas quitando capas.

Reconoce tus talentos. En realidad, las **Proyecciones** son talentos. Pero al igual que nos cuesta reconocer nuestros defectos por miedo a ser rechazados por la sociedad, nos resulta muy difícil sostener nuestra grandeza por el mismo motivo. Brillar con luz propia también sentimos que es arriesgado y una amenaza a nuestra posición social. Así que inconscientemente nos mantenemos en la mediocridad, y proyectamos fuera lo mejor y lo peor de nosotros de manera polarizada.

Cuando haces consciente tus **Proyecciones,** y los talentos que hay detrás, es cuando puedes decidir cuándo poner en marcha esos rasgos, esas cualidades, y en qué situaciones.

* Hay tres maneras de descubrir tus talentos:

- **A través de tus críticas.** Recuerda que aquello que criticas en otro es una cualidad polarizada. Generalmente, hay una polaridad que reconoces en ti, pero la otra no. El talento se haya en la integración de ambas polaridades y la capacidad para decidir voluntariamente cuándo emplearlo. **Siguiendo con mi ejemplo,** invadir y ser invadido, una vez integrado, es la capacidad para conectar emocional y psíquicamente con las personas, algo muy positivo si se emplea en el contexto adecuado y con los fines más éticos posibles. A mí me ha servido para conocer en profundidad a mí mismo y a los demás, para desarrollar mi proyecto de vida y para contároslo a través de este libro y mis cursos.

- **Cuando admiras a alguien.** La admiración es una **Proyección** en positivo. No podemos sostener nuestra propia grandeza y la vemos en otros. Todo, absolutamente todo lo que admiras en otros es un talento tuyo, esté o no mínimamente desarrollado. Por ejemplo, si admiras la capacidad de oratoria de alguien, o lo bien que se explica, tienes en ti el potencial de hacer lo mismo.

- **En la Estructura de tu Ego.** Tu Ego es un talento, aunque desde el modo "dame" de su inmadurez pueda parecer un defecto. Por ejemplo, si tienes un Ego que ordena, puedes desarrollar el talento de poner orden; si tienes un Ego que juzga, puedes ser un buen discriminador realista; si tienes un Ego que cuenta historias para convencer a los demás, puedes desarrollar el don de seducir y unir a las personas con la palabra… El Ego maduro es sensible, aglutinador, da amor, es un buen comunicador y transmisor de ideas, organizador y observador, es creativo, inspirador e incita a la acción…

<u>Cómo puedes ayudar a otros con Proyecciones.</u> Aunque insisto mucho en que cada uno se trabaje lo suyo, es inevitable querer ayudar a las personas a las que quieres. Si lo haces, primero sé consciente de que no estás por encima, sino que esa persona te está ofreciendo una oportunidad para que sanes algo en ti. Soy psicóloga, y esto lo tengo en cuenta con cada persona que veo en consulta. Aprendes mucho de ti si te aplicas el trabajo que haces con los demás.

Por otro lado, a veces es muy bueno aprender a poner límites a los demás. Cuando atraes hacia ti, por ejemplo, a personas que no paran de contarte sus problemas, es bueno aprender a poner límites a esa forma tuya de relacionarte. Puedes ayudar a otros a tener claridad en su vida, y de paso clarificar la tuya, con Proyecciones.

La forma es muy sencilla. Cuando alguien esté criticando a otra persona, echando la culpa fuera, pregúntale, por qué eso es importante para él. Recuerda que lo que critica es suyo. Juegas con ventaja. Pero no le digas lo que ves, sino hazle preguntas -como las que hemos visto para averiguar los **Miedos del Ego** y las **Proyecciones**-, para que conecte consigo mismo y llegue a sus propias conclusiones. Termina siempre con una nota positiva, destacando sus talentos.

Escúchale de manera sensible, con tu cuerpo, para reconocer y absorber su emoción desbordada, si fuera el caso. De esta manera le ayudarás a poder procesar su información. Si la emoción está muy elevada, la persona no podrá procesar información, y tenderá a huir y buscar alivio. En otras palabras, no podrá centrarse. Si hacemos una escucha sensible, le bajará la emotividad, la activación del sistema nervioso, y podrá escucharse y sentirse.

* Para ayudar a los demás:

- Haz una escucha sensible para "absorber" los picos de emoción del otro.

- No juzgues. Sé compasivo.

- Pregúntale por qué eso es importante para él.

- Guíale para que se ponga en contacto con sus **Miedos del Ego** y **Proyecciones.**

- No le des las respuestas, aunque las hayas visto a través de las **Proyecciones.** Tiene que llegar sólo. Sólo pregunta.

- Detecta cuando se descentra y se va por las ramas y guíale para que vuelva a centrarse en lo que realmente es importante para él, o lo que realmente le molesta o preocupa.

- Termina destacando sus talentos.

RELACIONES DESDE EL SER

A través de nuestras relaciones podemos crecer, desarrollarnos, aprender de nosotros mismos y de la vida. Relacionarse es transformarse, es madurar el Ego y es descubrir el placer de dar lo mejor de nosotros al mundo. Pero nadie dijo que fuera fácil.

Relacionarse es un juego, es una oportunidad, es una escuela. Es desnudarse y adaptarse. Hemos visto cómo a través de las **Proyecciones** podemos conocer a los demás, y también a nosotros mismos. El otro, cualquier otro, ya sea tu pareja, tu hijo, tu vecino, el vendedor del mercado, un taxista, tu jefe, un amigo o tus padres, está allí para servir el propósito de tu crecimiento. Pretender no recibir ese mensaje y exigir que sea el otro quien se adapte a tus deseos, tener expectativas sobre los demás y condicionar las relaciones a meros roles, es desaprovechar una maravillosa oportunidad para aprender a **Vivir desde el Ser**.

Reconociendo mi mochila. En *Cargando a otros con mis mochilas,* vimos ejemplos de cómo entregamos características nuestras a otros a través de las **Proyecciones** en las relaciones en base a roles. En una **Relación desde el Ser,** nos hacemos cargo de nuestras **Proyecciones** y no condicionamos a los demás a que lleven nuestras mochilas. Te propongo un trabajo muy sencillo y muy bonito. Lo puedes hacer en pareja, en grupo de amigos donde uno representa la pareja del otro, o lo puedes hacer sólo.

* Dobla un folio por la mitad y por fuera dibuja una mochila y pon tu nombre. En la parte de dentro, a la izquierda, escribe el nombre, dejas un espacio, y luego todo aquello que admiras de tu pareja, de tu ex, de tu hermano o hermana, de tu amigo…, de cualquier relación importante que tengas. A la derecha, escribes las cosas que no te gustan, que criticas o que te desagradan de esa persona.

Entrégaselo a esa persona, si puedes, y si no, hazlo simbólicamente a alguien que la represente. O haz cualquier pequeño ritual que simbolice esa entrega. Si haces este ejercicio con tu pareja o con la persona que lleva esa mochila, recibe a cambio su mochila.

Deja que transcurra un tiempo. Pueden ser horas, días, semanas, …, como tú lo sientas. Al cabo de ese tiempo, recupera la mochila que lleva tu nombre por fuera. Ábrela, y en la parte de dentro escribe (no sigas leyendo este apartado hasta que no recuperes tu mochila):

- A continuación del nombre que habías escrito dentro y antes de la lista de talentos: "Gracias por llevar mis talentos y mostrármelos cada día para que yo poco a poco pueda ir incorporándolos".

- A la derecha, por encima de la lista de cosas que no te gustan, escribe: "y gracias por aceptar que proyecte sobre ti mis defectos, hasta que sea capaz de integrar mi luz y mi sombra, lo bueno y lo que no me gusta en mí".

- Ahora reflexiona sobre esas cualidades positivas y negativas en ti.

Cambiando mi forma de relacionarme. Las relaciones con los padres son de máster. Ya vimos en este Manual con *La Impronta* de qué manera los primeros años de vida condicionan lo que luego llamamos amor. Esto a su vez determina el tipo de relaciones de pareja que tendremos. Mientras que no nos hagamos conscientes de este patrón, seguiremos buscando amor seguro de madre, en vez del amor que realmente queremos, en todas las parejas que tenemos.

Dicen que se tarda siete años en romper energéticamente con una pareja. Pero no lo creo. En mi opinión (ver *El fin de una relación desde el Ser*), hay personas que ni en veinte o treinta años logran romper esos lazos, pero es porque no han sanado, no han hecho consciente, la **Impronta**, y no han elegido una nueva forma de relacionarse.

Y es que, una cosa es la pareja, y otra muy diferente es tu forma de relacionarte. Tu forma de relacionarte es tuya, y no tiene nada que ver con tu pareja. Ahora, él o ella tendrá su propia forma de relacionarse. Y cuando os juntáis, intercambiáis mochilas. La pareja no es más que alguien que está dispuesto a llevar tu mochila, mientras tu llevas la suya. Estamos tan entretenidos en nuestras **Proyecciones,** que es sorprendente lo poco que en realidad la gente se conoce entre sí.

Dicho esto, cuando por fin reconozco mi impronta y cómo me he estado relacionando desde ella con mis parejas, puedo entonces elegir una nueva forma de relacionarme (ver *La Impronta en el Manual*).

* <u>Cuando cambias tu forma de relacionarte, has de comunicárselo a tu pareja</u>. Es imprescindible decírselo, ya que cambiar la forma implica retirar tu mochila y devolverle la suya. Esto desestabiliza mucho al otro, por lo que lo normal es que se enrede en conductas exageradas para "reclamarte" y conseguir que vuelvas a intercambiar las mochilas como antes. Este reclamo no se hace de manera consciente. No hay ninguna mala intención, sólo miedo. Por eso hay que hablar, hay que avisar. Y luego hay que esperar a que el otro decida qué hacer, si cambiar o no. Mientras, uno se mantiene firme y consciente para que el cambio se afiance. Es así cómo puede morir una relación y nacer otra totalmente nueva, diferente, aún con la misma persona.

<u>Comunicando desde el Ser.</u> La comunicación es la base de cualquier **Relación desde el Ser**, porque es imprescindible si se quieren trascender los roles y aprender a conectarse desde el corazón. Las relaciones humanas en coherencia y desde el corazón son algo nuevo para la Humanidad y requieren un continuo ajuste por parte de todos. No se puede obviar la comunicación. Lo único que hasta ahora es obvio son los roles. Pero resulta que ahora los roles nos encarcelan.

Antes, en este capítulo, he hablado sobre la **Escucha sensible** y de cómo ayudar a otros ver sus **Proyecciones**. La escucha coherente, la escucha desde el corazón, implica el sentir en el cuerpo, reconocer las emociones y hablar de ellas. Aún hay mucho dolor y sufrimiento en la Humanidad que limpiar, y son las mujeres las que primero conectamos con ese dolor (ver *La relación de pareja y Las memorias de los ancestros*), aunque no seamos conscientes de ello.

Si nosotras aprendemos a sostener nuestras **Proyecciones** y a comunicar nuestros procesos emocionales simplemente poniendo nombre a lo que sentimos, sin buscar atribuciones, sin intentar averiguar inmediatamente el por qué, y ellos aprenden de nosotras a escuchar de manera sensible y a comunicar, luego ellos podrán enseñarnos a sacar nuestros talentos al mundo.

¿Por qué nosotras primero? Porque ha llegado el momento en el que la Humanidad necesita retomar el contacto con la energía femenina, y a través de ella, con el corazón. Hemos iniciado una nueva Era, la **Era del Ser**, en la que es la mujer la que ha de liderar el proceso de cambio.

<u>Comunicando en coherencia con la Estructura del Ego.</u> Con la Estructura del Ego se puede ver qué sucede cuando dos personas se comunican desde el Ego, y cómo sería si se comunican desde la coherencia del corazón, desde el Ser. Desde el Ego inmaduro nos defendemos, no queremos perder, pero tampoco queremos agredir. Por eso cuando comunicamos, lo hacemos desde la misma energía, o por así decirlo, desde el mismo miedo. Es que como jugar a pie-dra-papel-tijeras y nos encontrásemos piedra con piedra, o papel con papel, o tijeras con tijeras.

El problema de comunicar así es que los Egos no se suelen encontrar sincrónicamente y además no es fácil lidiar luego con los desajustes, al encontrarse precisamente el desequilibrio que se quería evitar. Es como si después, piedra se encuentra con tijeras o papel con piedra...

La comunicación en coherencia implica que ambos corazones, desde la **Estructura del Ego**, se solapan. Toda interacción comienza cada uno desde su primera posición, sea cual sea. Esto implica que se han de respetar los momentos de cada uno, teniendo en cuenta el grado de receptividad y expresión de cada una de las energías básicas.

Recordemos cuáles son éstas:

♂	☿	♀
expansión	intercambio	Receptividad
descontrol	rechazo	Abandono
+ expresiva	intermedia	+ receptiva
expresa, propone	filtra, discrimina	escucha, sostiene

Así, si uno empieza con expansión y el otro con intercambio (como en la tabla a continuación), éste es el que ha de estar receptivo primero. Es el que ha de escuchar, mientras que el primero se expresa. Ahora imaginemos que, en segundo lugar, hay intercambio y receptividad. Una vez más, el primero tiene la iniciativa, esta vez haciendo un análisis de lo que acaba de expresar, mientras que el segundo recibe. En esta combinación, la escucha del segundo ha servido para que el primero se pueda ordenar, pero aquel se ha ido cargando de energía de éste. Y entonces, en tercer lugar, el primero se vuelve receptivo al segundo, que entonces saca todo su potencial creativo, y le sostiene. Se ve que hay alternancia de energía potente. Es una combinación muy creativa, si se respetan los momentos de cada uno.

1	♂	☿	♀	Ego
2	♂	☿	♀	Ego

Sin embargo, desde el Ego, dos personas con esta combinación tendrían difícil ponerse de acuerdo. Si el primero empieza la interacción, el segundo comenzaría desde su tercera posición: expansión-expansión. Ninguno de los dos estaría receptivo, y rápidamente irían a la segunda posición del primero y al Ego del segundo: intercambio-Ego, con lo que éste último se sentiría criticado y juzgado.

Si empieza el segundo, el encuentro sería algo más armónico: intercambio-intercambio, debatirían un poco, dando sus puntos de vista, pero en segundo lugar hay receptividad-receptividad, con lo que se quedarían en silencio, a no ser que sepan hacerse escucha sensible. Y en tercer lugar, expansión-Ego… La lían, como se diría vulgarmente.

Para ilustrarlo mejor, a continuación, expongo un par de ejemplos reales de comunicación en pareja:

Pareja A:

La comunicación entre ellos es coherente de forma natural. Ambos empiezan su estructura con la misma energía, la receptividad. El problema que pueden encontrar es que den por hecho esa conexión y se queden en el inmovilismo. Si hay inmovilismo, los Egos no pueden madurar, y costará más a cada uno de ellos integrar los tres movimientos (empoderar al niño interior para entregar sus talentos al mundo).

Curiosamente, podemos ver que como "no pasa nada", al final tiene que pasar algo. Y en segundo lugar ella encuentra un problema y él busca una respuesta. Mientras que en tercer lugar ella se carga con todo el problema, pero a él le entra el miedo. Por último, podemos ver cómo los Egos se complementan bien, y el lío de él alimenta la acción de ella en busca de una solución.

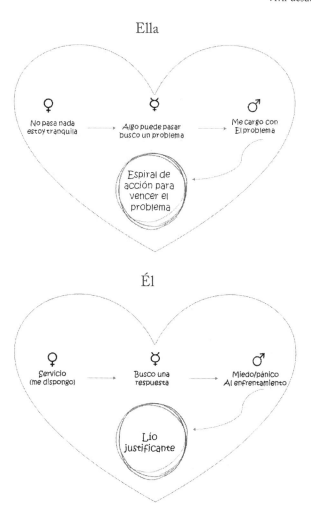

Esta pareja se lleva bien, pero tienen difícil evolucionar. Necesitarán de interacciones fuera de su relación para provocar el necesario impulso evolutivo.

Pareja B:

La comunicación entre esta pareja es bastante difícil. Si empieza ella, receptividad-me abro, él se va, receptividad-huyo. Luego ella vive intercambio-barrera, no hay comunicación, y él entra en el Ego, buscando justicia y poner cada uno en su sitio, o lo que es lo mismo, cada uno cumpliendo con su rol. En tercer lugar, ella entra en shock y es cuando él se entera de que hay un problema. Pero para entonces, ella activa el Ego con su espiral de conflicto, y él vive el conflicto... Se puede ver que es un circuito conflictivo que se retroalimenta. La única manera de no seguir esa espiral, una vez que se ha activado, es poner distancia entre ellos.

Ahora analicemos la comunicación desde él. Cuando detecta que hay un problema se activa su patrón, intercambio-problema. Pero desde el Ego inmaduro ella reacciona ante el problema con intercambio-barrera. No recibe bien los problemas de él. En segundo lugar, él vive conflicto y ella corresponde con shock. Luego él huye y ella entra en la espiral de conflicto de su Ego inmaduro. Al final encuentra un poco de paz cuando él activa su Ego e intenta poner cada cosa en su sitio, entonces ella se abre y se vuelve receptiva.

Desde la coherencia, esta combinación de patrones se viviría así: en primer lugar, él cuenta su problema y ella escucha (intercambio > receptividad); en segundo lugar, él presenta conflicto y ella barrera (expansión > intercambio), pero para poder comunicar, él ha de expresar libremente su energía creativa y ella ha de desarrollar la comunicación, por ejemplo, haciendo de filtro, con su criterio, de la inspiración creativa de él. En tercer lugar, ella está en shock y él huye (expansión > receptividad). Desde el Ego, se cortaría el diálogo, por eso hay que madurar este aspecto también: ella expresa su creatividad, mientras que él sostiene la energía de ella.

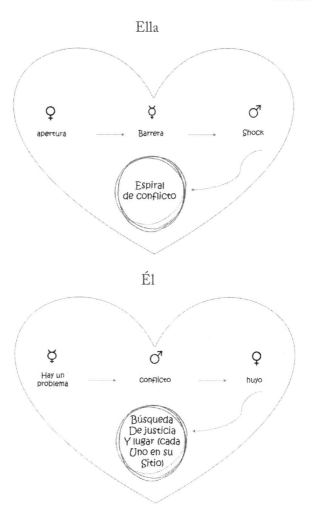

En la web www.vivirdesdeelser.com hay una pestaña dedicada a la **Estructura del Ego** y cómo trabajarla donde puedes ampliar información. Cualquier duda que tengas al ponerla en práctica, me puedes preguntar, enviando un email desde la página.

Vivir desde el Ser

 **Epílogo**

A lo largo de estos cinco capítulos he querido desarrollar y proponer lo que para mí son las claves para **Vivir desde el Ser**. Espero que mi experiencia te haya servido de inspiración y te pueda aportar algo de claridad en tu propio camino de desarrollo personal. Estoy abierta a aclarar tus dudas en la puesta en práctica de las herramientas que propongo, e iré ampliando a través de la web www.vivirdesdeelser. com la información para que pueda ser de más utilidad.

Puede que te resulte fácil aplicar la herramienta de la **Estructura del Ego**, o puede que no, pero es importante que comprendas que no hay una forma concreta ni incorrecta de aplicarla, sino que todo está abierto a que tú lo descubras y adaptes a ti, a que lo desarrolles por tu cuenta, a que lo interpretes como sientas.

Creo que lo importante es compartir las experiencias y compartir con otros tu trabajo de desarrollo personal. Recomiendo que no te trabajes sólo, sino con más gente con la que puedas compartir lo que vas transitando. No sólo te ayudarán a ampliar tu visión, sino que te facilitarán ver lo que tú no puedes cuando se activan los bloqueos.

Además, evolucionamos en grupo y no individualmente. Necesitamos la conexión con los demás para conocernos, para crecer, para cambiar. No hay transformación sin conexión. **Vivir desde el Ser** implica **Relacionarse desde el Ser.**

En tu trabajo de desarrollo personal, no olvides algo muy importante, hazlo siempre desde el amor, hacia ti mismo y hacia los demás. Amor es integración y se hace desde la energía femenina, mientras que rechazar, culpar, odiar, es separación y se hace desde la energía masculina. En un **Mundo en Red**, es la energía femenina la que nos ayudará a cambiar a la **Era del Ser**.

Ama todo lo que haces y eres, incluso tus peores errores. Esa es la única manera de traerlos a la consciencia y de poder descubrir los talentos que la desintegración oculta. Profundiza en la **Estructura de tu Ego**, y aprende a reconocer lo valioso que es como instrumento para comunicar con el mundo, una vez ha madurado tu Ego y hayas conectado con tu niño interior, ofreciendo lo mejor de ti al mundo, para el bien común.

Reconoce el **Techo del Ego** y sus pruebas. Acepta los retos que se te plantean, pero mantente firme en tu intención de crecer, cambiar y ofrecer lo mejor de ti. Quita la culpa de tu diccionario, sustitúyela por responsabilidad y compromiso sobre ti mismo y tu desarrollo.

No desesperes cuando no entiendes las cosas. Sostener la incertidumbre no es fácil al principio, pero te ayuda a abrir tu mente y desapegarte de los resultados. Esto a su vez facilita el cambio. Un truco, puedes escribir las cosas que no sabes cómo encajar en uno o varios papeles, y los dejas, por ejemplo, sobre tu mesita de noche, o en una cajita. Luego, cada noche que te acuerdes, le pides antes de dormir a tu subconsciente, al Universo, a tus guías, ángeles o a Dios (como tú prefieras), que te ayude, que te aclare la situación, que te lo ordene o incluso que te dé la solución. Deja que pase el tiempo, quizá unos días, semana o meses. Llegará un día que te sorprendas encontrando que las cosas ya se han solucionado y ordenado.

Ah. Y una cosa muy importante. Siempre que hagas una petición, ya sea a tu subconsciente, al Universo, a Dios o a quien quieras, acuérdate de añadir esta coletilla: "y que sea lo más fácil y suave posible".

Con todo mi corazón, gracias por haber leído este libro, que espero te haya servido para movilizar en ti un cambio y para acercarte a tu Ser.

Escrito en Casa Lordán, Torla-Ordesa
entre el 2 de agosto 2015 y el 27 de junio 2016

Índice

Manufactured by Amazon.ca
Bolton, ON

27464700R00132